博士の愛したジミな昆虫

金子修治
鈴木紀之　編著
安田弘法

岩波ジュニア新書 916

はじめに

虫たちは、どのように生きているのか？
いつ、どこで暮らし、なにを食べ、どうやって敵から身を守り、そして、どんな方法で子供を残すのか？
そんな虫たちの「生きかた」には、不思議や驚きがいっぱい詰《つ》まっています。

この本には、美しい翅《はね》のアゲハチョウ、立派なツノのカブトムシやカッコいい大アゴのクワガタムシなどは出てきません。登場するのは、きわだった特徴をもたない、見かけのジミな虫ばかりです。しかも、ジャングルや極地、洞窟《どうくつ》など、人があまり足をふみ入れない場所で発見された新種やめずらしい種類ではありません。私たちの身近にある空き地や田畑、里山などで比較的簡単に見つかる、ごくありふれた種類がほとんどです。

とはいえ、そんなあまり目立たない「ジミな」虫たちであっても、その餌《えさ》の食べかたや子供の残しかた、さらには、ほかの虫や植物との関係のもちかたなどは、虫の種類によって千差万別で、しかも、それぞれに驚くべき特別な工夫がなされています。そして、そんな個性あふれる生きかたは、私たちの好奇心を刺激し、ときに私たち人間の想像力を超えていて、それを知るうれしさや、なぜそうなのかと考える楽しさに満ち満ちています。

虫たちの生きかたを理解するためには、同じ虫にとことんつき合って、ねばり強く観察し、そのヒミツをひとつひとつ解き明かしていく必要があります。それには、私たちの身の回りに暮らしていて数がたくさんいるジミな虫たちが、まさにうってつけなのです。

この本では、そんなジミだけどとても魅力的《みりょくてき》な虫たちに夢中になってしまった一〇人の昆虫博士たちが、愛しい虫たちの生きかたを、楽しく、わかりやすく、そして熱く語ります。とりわけ、虫の生きかたのヒミツについて、実際の研究過程をたどりながら、その核心に迫っていきます。また、博士と虫たちとの関わりや、虫たちがもたらしてくれた人々との出会いやつながりについてもお話しします。ときには、博士自身の「生きかた」が垣間《かいま》見《み》えるかもしれません。

第一章では、虫たちの食べもの選びに注目します。

虫では、よく似た仲間の種類でも、生息する場所や食べものが異なることがよくあります。

ここでは、テントウムシやモンシロチョウの仲間に目を向け、なぜそれぞれの種類は別々の場所や餌を利用するようになったのか解き明かします。

第二章では、虫と植物との深いつながりに着目します。

虫にとって植物は、餌として、すみ場所として、とても大切な存在です。このため、虫と植物はつねに密接な関係にあり、おたがいに影響を与え合いながら進化してきました。ここでは、ゾウムシとツバキとの関係や熱帯雨林のアリとアリ植物との関係を紹介し、これらが今まで共にたどってきた進化の道すじや、その関係を維持《いじ》するためのしくみを解説します。

第三章では、虫たちを結びつけている複雑な関係に注目します。

虫たちの周りには、ほかの種類の虫たちがたくさんいて、これらは、食う食われる関係や餌を取り合う関係、おたがい得する関係などでつながり合っています。ここでは、キャベツとコナガと寄生蜂《きせいほう》との関係やアブラムシとアリと天敵《てんてき》との関係について紹介し、虫たちは自分を取りまく複雑な関係をどのようにうまく利用しているのか解き明かします。

第四章では、最近日本にやってきた虫たちに目を向けます。

近年、物流のグローバル化や地球温暖化などによって、もともとは日本にいなかった虫が海外から入ってきて定着することが増えています。ここでは、そうした外来のアリやハムシに注目し、これらは侵入《しんにゅう》した日本やほかの国でどのようにして数を増やしているのか、新天地で起こった虫たちの性質の急激な変化を中心に解説します。

第五章では、多種多様な虫たちの共存に焦点《しょうてん》をあてます。

地球上にはひじょうに多くの種類の虫たちが存在し、おたがいに影響し合いながらも、バランスを保ちつつ暮らしています。ここでは、水田での害虫と天敵と「ただの虫」との関係や、同じ餌や場所を利用する多様な虫たちの共存に目を向け、農業において多種多様な虫がいることの重要さや、多くの種類の虫たちの共存を可能にするしくみについて解説します。

虫たちのこと、そして、その生きかたを研究する楽しさを若い人たちに伝えたい。そんな想いから、この本は生まれました。

ともすると嫌われがちな虫たちですが、その生きかたを知れば知るほど、興味や疑問がわいてきて、どんどん好きになっていくはずです。この本を執筆した昆虫博士たちは、年齢はさまざまですが、虫たちの魅力に夢中になってから、ずっと虫の研究を続けていて、虫たちへの好奇心や探求心はおとろえることはありません。

ジミな虫たちは、私たちの身近にある自然にもたくさん暮らしているため、調べたいと思ったら、すぐに始めることができます。しかも、少し注意して観察するだけで、さまざまな種類に出会うこともできます。こんなすぐ近くに、こんなにも魅力的で楽しいものがいっぱいあるのに、放っておくのはもったいない。

この本を読んだみなさんに、虫たちの生きかたに少しでも興味をもってもらえたら、また、自分でも調べてみたいと思ってもらえたら、とてもうれしいです。

それでは、一〇人の昆虫博士たちのお話を、始めましょう。

金子修治
鈴木紀之

目次

第3章　敵か、味方か？　関係はフクザツなのだ

第4章　外来種がやって来た！

本文イラスト＝石森愛彦

第1章

すみわけ、食べわけ、サバイバル！

ナミテントウとクリサキテントウには個体によってさまざまな模様があり、写真はその一例。両者はよく似ていて、見分けるのは難しい

そっくりな虫どうしのジミな「ケンカ」

——テントウムシのすみわけはなぜ起きる？

鈴木紀之

ケンカの生態学

生きている限り、ケンカは避《さ》けられそうにありません。学校で友だちと言い争ったり家に帰ってきょうだいゲンカをしたり、みなさんにとってもありふれたことでしょう。また、もっと大きなスケールでいうと、国と国どうしが資源や領土をめぐって争うこともニュースでよく見かけます。

では、生物の世界ではどうでしょうか？　ある昆虫が別の種類の昆虫と出会ったとき、どのような関係が見られるでしょうか。さらに、その関係がもとになって、二種類の昆虫の暮らしぶりはどのように変わっていくでしょうか。徹底的に争うのか、平和にやり過ごすのか。どちらかがサッと退くのか、まずは牽制《けんせい》し合うのか。私たちの人間関係が複雑なように、自然界のケンカもまたいろいろな原因と結末がありそうです。

たとえば、二種類の昆虫が同じ地域のなかでも片方は木の上、もう一方は地面の上というように別々の環境で暮らしていたり、異なる餌《えさ》を食べたりしながら生活していることがよくあります。これは「すみわけ」とよばれる現象です。生活する場所が違えばお互いに出会うことは少なくなりますから、ケンカをせずにやり過ごすことができます。

しかしここで想像をふくらませて、「過去にあったかもしれないケンカ」のことを考えてみましょう。もしかしたら、二種類の間には熾烈《しれつ》なケンカがあったからこそ、現在はお互いを避けるようにして別々の生活をするようになったのかもしれません。

「ケンカするほど仲が良い」ということわざがあります。これは単によくケンカしあう人たちをからかっているのではなく、他のことわざと同じように、私たちの生きざまの真理をうまく言い当てているように思えます。ケンカしてもお互いの関係を保っている(そしてまたケンカを続けてしまう)ということは、結局そこまで仲が悪いわけではなく、なんだかんだ一緒にやっていける間柄ということです。反対に、もし本当に仲が悪かったら、顔を合わせるのもイヤで別々の行動を取るはずです。その結果、そもそもめったに会うこともなく、そのためケンカなんて起きないでしょう。

生物にも同じようなことがあてはまるのではないか。つまり、本当に仲の悪い種類どうしは一緒にいないことがあるのではないか。ことわざにも裏付けられたそんな現象を解明できたとしたら、おもしろい研究になるはずです。

そこで本章では、異なる種類どうしが出会ったときに何が起きるのか、その結末はどうなるのか、テントウムシを題材にした私の研究を紹介していきます。

昆虫の世界でいう「ケンカ」や「仲の良《よ》し悪《あ》し」とはいったい何を意味しているのでしょうか？　私はこれまで知られていなかったケンカのメカニズムに着目して、すみわけの謎《なぞ》の解明に挑《いど》みました。

強いテントウムシと弱いテントウムシ

本章の主役は二種類のテントウムシです。ナミテントウ（本章扉絵）はさまざまなアブラムシを食べて生活する身近な昆虫です。春になって暖かくなってくると、ユキヤナギやシャリンバイといった庭木、モモやクリといった果樹によく見られます。また、何百匹もの大きな集団になって冬越しすることでも有名です。

もう一種類の主役はクリサキテントウ（本章扉絵）です。ナミテントウと見た目は似ていますが、松の木（アカマツやクロマツ）にしか生息しておらず、そこにいるマツオオアブラムシを食べて成長します。また、成虫は春先の限られた期間にしか見られないため、虫に詳しい人以外はまず見たことがないでしょう。

ナミテントウのようにさまざまな餌を食べる種類をジェネラリスト、クリサキテントウのように特定の餌だけを食べる種類をスペシャリストとよびます。ナミテントウも松の木にやって来ますが、やはりメインの餌は、ほかの木にいるアブラムシです。そのため、二種類は大まかに「すみわけ」しているといえるでしょう。

しかしナミテントウとクリサキテントウの違いは、餌のメニューの種類や数だけではありません。ジェネラリストとスペシャリストの生活を反映してか、「めずらしさ」も大きく異なります。

研究を始めた当初、私はクリサキテントウが年に数匹くらいしか採れずにこまった思い出があります。ナミテントウは、がんばれば一日に一〇〇匹以上も捕《つか》まえられるような、ごくありきたりな種類です。それに対して、クリサキテントウは一日中がんばって探しても、一匹も見つからない日もありました。それほどめずらしい種類です。「二種類のすみわけを調べたいのに、一方の種類しか見つからないようでは研究にならない」。私はそう思って、少しあせっていました。

しかしふり返ってみると、「たくさんいるジェネラリスト」と「少ししかいないスペシャリスト」は、必然の組み合わせだったといえます。なにしろ、ナミテントウにはたくさんの餌があるからこそ、多くの幼虫が成長できるのです。対照的にクリサキテントウは餌の種類が限られているぶん、餌の量も限られています。そのため、ナミテントウのような勢いで増殖することはできません。

それでは、どうしてナミテントウとクリサキテントウは仲良く同じ餌を食べながら暮らしていけないのでしょうか？　これほどまでの「格差《かくさ》」はどのようにして生まれたのでしょうか？

私は、その背景にきっとケンカがあるはずだと思いました。というのも、昆虫の立場からすると、ナミテントウのようにいろいろな種類の餌を食べてたくさん卵を産んだほうがいいに決まっているからです。それにもかかわらずクリサキテントウは松だけにこだわっているのですから、ナミテントウと一緒にいると都合のよくないことがあると予想できます。

どうやら、ケンカに強くてさまざまな餌を好きなだけ食べる種類と、ケンカに弱くて限られた餌しか食べられない種類がいるのではないか？　ただ、ここで言う昆虫の「強い・弱い」とは、一体何を意味しているのでしょうか。昆虫は握りこぶしでケンカをするわけではありません。まずは餌の食べやすさに注目して実験を行ないました。

じつは何でも食べられる？　スペシャリストの餌メニュー

昆虫の「強い・弱い」を決める要因としてまず思い浮かぶのが、餌をつかまえて成長する能力です。餌を上手につかまえられる種類は、それだけ効率よく成長して、数を増やすことができます。その結果、その他の種類を追いやってしまうでしょう。そこで、シャーレの中でナミテントウとクリサキテントウの幼虫にさまざまな種類のアブラムシを与えてみました。

その結果、「ナミテントウが強くてクリサキテントウは弱い」という証拠はまったく得られませんでした。どちらの種類の幼虫も、アブラムシをハンティングする肉食者です。そのため、どの種類のアブラムシであっても、それなりにうまく狩りをして、成虫まで発育できたのです。

おもしろいことに、クリサキテントウの幼虫は野外ではいっさい出会うことのないアブラムシであっても、シャーレの中では積極的に食べて成長します。つまり、クリサキテントウがスペシャリストというのは、野外では松の木のアブラムシに特化しているという意味であって、潜在的《せんざいてき》に食べられる餌が限られているわけではなかったのです。

テントウムシの幼虫を飼育する場合は餌を大量に確保する必要がありますが、先ほど述べたように、松の木のアブラムシはそれほどたくさんいるわけではありません。そのため実際には、クリサキテントウが野外では食べることのないアブラムシを与えて飼育することがほとんどです。たとえば、ユキヤナギに付くユキヤナギアブラムシ、クリに付くクリオオアブラムシ、カラスノエンドウに付くエンドウヒゲナガアブラムシなどを餌としてクリサキテントウの幼虫は順調に成長することができました。

また、アブラムシ以外の餌も飼育に使います。そのひとつがスジコナマダラメイガの卵です。このガの幼虫は米ぬかや小麦粉などを食べてしまう害虫で、成虫になると盛んに卵を産みます。その卵が、テントウムシやクサカゲロウをはじめとした肉食性の昆虫の餌として利用できることが明らかになり、飼育の上で欠かせない材料になっています。クリサキテントウの幼虫にもスジコナマダラメイガの卵を与えてみたところ、盛んに食べて成長しました。

以上のように、スペシャリストのクリサキテントウも本来はさまざまな餌を食べて成長できることがわかりました。つまり、餌をつかまえて成長する能力に差はなかったのです。すると、「野外でクリサキテントウの餌の種類が限られている理由」がますます不思議になってきます。そこで、餌の食べやすさそのものよりも、ナミテントウとクリサキテントウが直接出会ったときに何が起こるのか考えてみることにしました。

ケンカの正体は、オスのちょっかい?

見た目や形のよく似た種類どうしなら、餌をつかまえて成長する能力に大した差はありません。これはテントウムシだけでなく、他のグループの昆虫でも指摘されていたことでした。しかし、よく似ているからこそ別の問題があります。それは、種類が違うにもかかわらず、交尾《こうび》が起きてしまうリスクがあることです。

見た目が似ている種類と出会うと、どうしても自分の種類なのかどうか正しく判断できずに、間違えて交尾してしまうのです。しかし、間違えて別の種類のオスと交尾してしまったメスは、卵を産めなかったり、産んでも幼虫が孵化《ふか》しないことがあります。

また、たとえ交尾が起きなくても、問題がないわけではありません。昆虫のオスとメスが出会うと、「相手は本当に自分と同じ種類のパートナーなのだろうか」というように、交尾するかどうかの判断に迫られます。このような状況は時間のムダといえるでしょう。そんなヒマがあるなら、自分と同じ種類のパートナーと確実に交尾したり、餌を食べて栄養をたくわえたほうがいいからです。

害虫としても知られるマメゾウムシの仲間では、そんなムダが知られています。アズキゾウムシのオスは、よく似たヨツモンマメゾウムシのメスと出会うとしつこく追いかけ回します。他種のオスから「ちょっかい」を出されたメスは、卵を産む時間が減ってしまって、効率よく子孫を残すことができません。また、逃げ回るうちに体力を消耗《しょうもう》するためか、寿命《じゅみょう》も縮まってしまいます。その結果として、アズキゾウムシと一緒のケースに入れて飼育していると、ヨツモンマメゾウムシはだんだん数が減っていき、やがては子孫がとだえてしまいます。このように、よく似た相手の種類の存在は生きていく上での「コスト」になってしまいます。

なわばりを張るトンボの例も紹介しましょう。オスのトンボは川沿いの明るい場所になわばりをつくって、なわばりにやってくるメスを待ちかまえたり、ライバルのオスがやってきたときは飛んで追い払ったりします。しかし、別の種類のメスがなわばりにやってくると間違えて求愛することがあり、メスにしがみついて交尾しようとします。これはメスにとってはいい迷惑です。また、別の種類のオスがなわばりにやってくると、本来はライバルではないはずなのですが、しつこく追いかけ回すことがあります。どちらの種類のオスにとっても、時間と体力のムダかもしれません。

以上のように、よく似た種類どうしが出会うと大きなデメリットになります。ひょっとすると、求愛におけるこうした「ちょっかい」こそが、昆虫の世界におけるケンカの正体なのかもしれません。何か共通のものをめぐって争ったり、相手を倒そうと力をふるうわけではありませんが、相手の生存や繁殖《はんしょく》にダメージを与えることから、二種類どうしの「ケンカ」と見なすことができそうです。

ただ、従来のケンカや競争のイメージとは異なるため、昆虫のすみわけとどのように関係しているのか、ほとんど調べられていませんでした。

交尾するかしないか、運命の分かれ道

ナミテントウとクリサキテントウも見た目がよく似ていますから、出会ったときには間違った求愛が起きてしまい、交尾につながるリスクがあります。それでは、ここからは自分がクリサキテントウのメスになったつもりで考えていきましょう。

クリサキテントウのメスは、産卵の前にオスと出会って交尾をする必要があります。ただし、同じ種類のオスと出会ったとしても、必ずしも交尾する必要はありません。パートナーとしてもっとふさわしい別のオスに出会うかもしれないからです。

またここで問題なのは、ナミテントウもいることです。もしナミテントウのオスと出会ってしまったら、単に交尾を拒否すればよいでしょうか？　そう簡単には行きません。ナミテントウのオスがしつこく追いかけてきて、無理にでも交尾が起きてしまうかもしれません。シャーレの中で行動を観察していると、実際にそのようなことが起こります。ものごとは自分の都合だけで進まないのです。

クリサキテントウのメスにしても、求愛してきたオスが自分の種類なのか相手の種類なのか判断ができない場合があります。それほどナミテントウとクリサキテントウが似ているからです。産卵の前に一回は交尾しなければならないなか、「クリサキテントウのオスからの求愛を拒否する」という間違いもあれば、「ナミテントウのオスからの求愛を受け入れてしまう」という間違いもあるでしょう。必ずしも完璧《かんぺき》な判断を下せるわけではないのです。

すると、クリサキテントウのメスの運命はどのようなものになるでしょうか。産卵するまでに、クリサキテントウのオスと交尾できたメスは成功だといえます。その一方、ナミテントウのオスとしか交尾せずに、クリサキテントウのオスと交尾するチャンスを逃してしまったメスもいるでしょう。この場合は、子孫を残すことができません。

特に、ナミテントウがたくさんいてクリサキテントウが少ししかいない場所では、ナミテントウと出会いやすくなってしまいます。この状況では、ナミテントウのオスから求愛されることが多く、逆にクリサキテントウどうしで交尾するチャンスはさらに少なくなってしまうでしょう。つまり、自分が少数派で相手が多数派のときは、自分が不利になってしまいます。「ケンカ」の決着には数の多さも重要なのです。

以上のように、クリサキテントウはナミテントウと一緒にいると、自分の種類どうしでなかなか交尾できなくなります。とりわけナミテントウの多い場所ではいっそう交尾のチャンスが失われてしまいます。これはクリサキテントウの繁殖にとって大きなデメリットなので、もはやナミテントウと同じ場所で仲良く暮らしていけそうにはありません。

どうすればケンカをさけられる？　引き際のテクニック

クリサキテントウが子孫を残していくためには、もはやナミテントウとの出会いをさけて「すみわけ」するしかありません。それでは、実際に何をすればすみわけしたことになるでしょうか？　何か特別な進化やイベントが必要だったでしょうか。「ケンカをさける」ことの本質を見極めるために、ここで詳しく考えてみましょう。

先ほど「じつはクリサキテントウの幼虫もさまざまな餌を食べられる」と説明したように、

スペシャリストのクリサキテントウも幼虫時代の基本的な体のつくりや餌の好みはジェネラリストのままで、ナミテントウの幼虫と大きな差はありません。そのため、幼虫の行動がケンカをさけることにつながっているとは思えません。そもそも、飛んで動き回ることのできる成虫に比べ、幼虫の移動範囲は限られていますから、幼虫がいくらがんばったところで相手の種類との出会いをうまくさけることはできないでしょう。

そこで成虫に着目してみます。結局、クリサキテントウとナミテントウのケンカとは、成虫が交尾するときに「ちょっかい」や「判断の間違い」が起きてしまい、うまく交尾できなくなることでした。そのため、成虫がどのような生活場所を選ぶかが、すみわけのポイントになるはずです。

スペシャリストをスペシャリストたらしめているメカニズムとは何なのか。それは、そもそもクリサキテントウの成虫が「松の木にしか飛んでいかない」ということです。クリサキテントウはジェネラリストだった祖先からスペシャリストに進化する過程で、モモやクリ、ヤナギやサクラの仲間といった木に飛んでいくことをやめました。そして最後に残った選択《せんたく》肢《し》が、松の木だったというわけです。

松以外の木にはアブラムシがたくさんいるため、食欲旺盛《おうせい》なナミテントウも群がっています。そうした環境はたしかに幼虫の成長には適しているかもしれませんが、ナミテントウの成虫と出会う回数が多くなってしまうため、クリサキテントウの交尾にとってはデメリットが大きすぎます。それに対して、松の木には餌となるアブラムシが少ししか生息していないため、幼虫の成長に適した環境であるとはいえず、ナミテントウはあまりやって来ません。そのため、クリサキテントウはナミテントウをさけるようにして松の木だけを選ぶようになったと考えられます。

新しい餌を食べたり今までとは違う環境で生活を始めるためには、特別な形や行動がうまい具合に進化する必要があると感じるかもしれません。しかしクリサキテントウがスペシャリストになれたメカニズムは、もともとのジェネラリストの生活スタイルをやめ、餌のメニューの数を減らしたことに過ぎないのです。ケンカをさけるために、何か特別な性質が進化したわけではなかったのです。

ケンカ相手がいなければ

ナミテントウとクリサキテントウはすみわけしていますが、二種類が同じ地域に分布しているのは、じつは本州や四国・九州に限った話です。おもしろいことに、北海道にはナミテントウだけ、沖縄や奄美《あまみ》大島《おおしま》を含む南西諸島《なんせいしょとう》にはクリサキテントウだけが分布しています(図1-1)。

本州でジェネラリストのナミテントウは、北海道でもジェネラリストです。さまざまなアブラムシを好きなように食べています。それに対し、沖縄のクリサキテントウはどうでしょうか。もはや「強いケンカ相手」のナミテントウがいませんから、自由にふるまうことができるかもしれません。

図1-1　ナミテントウとクリサキテントウの分布

こうした予想を確かめるべく実際に沖縄に足を運んでみると、やはり松以外の木からもクリサキテントウを発見することができました。研究の予想が当たったときの喜びはひとしおです。ギンネムというマメ科の木の他に、ハイビスカスやガジュマルに来ているクリサキテントウもいました。本州のクリサキテントウが松の木にこだわっているのとはとても対照的です。

つまり、ナミテントウの分布していない沖縄の島々では、クリサキテントウはもはやすみわけする必要がなく、ジェネラリストになっているということです。おそらく、ナミテントウとの「ケンカ」から解放されて、自分の食べたい餌を好きなように食べて暮らしていると考えています。これは、昆虫の餌選びが餌そのものの好みだけではなく、相手の種類がいないかどうかで決まっていることを示唆《しさ》しています。

私たちがレストランでメニューを選ぶときも、単に「おいしさ」だけで選んでいるわけではないと思います。値段も重要ですし、昨日何を食べたとか、カロリーをひかえめにするとか、友達が注文したものにつられてしまうとか、さまざまな要因がからんで判断しているはずです。昆虫の世界も同様で、餌選びには栄養分やつかまえやすさなど、いくつかの要因が関係しています。そこに「相手の種類が周りにいるか」という状況が重要な要因として考えられます。

さいごに

よく似た種類どうしの餌や分布が異なれば、その背景に「ケンカ」の存在が考えられますが、その正体とは「オスのちょっかい」が原因になってうまく繁殖できなくなってしまうことでした。ここでいう「ケンカに強い種」とは、体が大きくて餌をつかまえる能力が高いわけでも、持久力にすぐれていて相手よりもたくさん動き回れるわけでもありません。そうしたステレオタイプの「強さ」とは違ったものです。

だからこそ、二種類が出会ったときにどちらの種類が勝つかは、なかなか予想しにくいものです。たしかに体の大きさや運動能力といった性質は交尾行動にも影響しますが、それが自分の種類どうしで交尾をすることや相手の種類からのちょっかいをうまくさけることにどのように関わっているのか、実際は複雑なのではっきりとしません。勝負の結末は出会ってからのお楽しみ、といえるかもしれません。

たとえ二種類に交尾をめぐるケンカがあったとしても、別々の餌や生息環境があればすみわけをしながら暮らしていくことができます。そのためには、当たり前ですが、その地域にいろいろな種類の植物が生えていたり、水辺・草地・森林といったさまざまな環境があることが重要です。もし環境が均質だとしたら、すみわけが難しくなります。クリサキテントウの場合、ナミテントウがあまり来ない松があったからこそ、すみわけできたと考えられます。ケンカ別れした二種類であっても、地域レベルでみれば共存しており、種類の多様性が保たれているといえます。

ナミテントウとクリサキテントウの他にも、すみわけをしている昆虫のペアはたくさんいます。たとえば、アゲハチョウの幼虫はミカンやユズといった柑橘類《かんきつるい》の葉を食べますが、よく似たキアゲハはニンジンやパセリといったセリ科の植物を食べます。また、モートンイトトンボは湿地《しっち》や田んぼに生息していますが、同じ仲間のヒヌマイトトンボは河口近くのヨシ原などに限定して生息しています。

このような種類のすみわけも、交尾をめぐるケンカが原因になっているのでしょうか？　その可能性は十分にあります。よく似ている種類どうしでは間違った求愛がどうしても起きやすいので、テントウムシと同じような状況になっているかもしれません。

自然界はまだまだわからないことだらけですが、地道な観察と新しい発想があれば、次々と謎が解けていくことでしょう。

コラム　うんちのボールは、親から子へのプレゼント

コブマルエンマコガネは、日本にも生息している、動物のフンを食べる「フン虫」です。コブマルエンマコガネのメスはオスと協力してフンのボールをつくり、その中にひとつだけ卵を産みます(図1－2)。孵化した幼虫はフンを食べて成長し、蛹《さなぎ》になるまでこのボールの中で暮らします。つまり、幼虫にとっては親がつくってくれたフンのボールが唯一の餌になるわけです。

それでは、親はどれくらいの大きさのボールを幼虫に用意すべきでしょうか？　とても栄養のあるフンなら、小さめのボールでも幼虫は十分に成長できるでしょう。反対に、栄養の少ないフンなら、親は大きめのボールをつくって、子どもにたくさんの餌を用意しておく必要があります。

実験してみると、栄養のあるサルのフンの場合、親は小さなボールをつくりました。一方、栄養の少ないウシのフンを与えると、大きなボールをつくりました。また、サルとウシのフンを(手でこねて)混ぜ合わせたフンでは、ボールの大きさも中くらいに

なりました。

「コブマルエンマコガネの母親は、フンを「味見」しながら餌の質の良さを確かめて、ボールの大きさをうまく調整しているのです。子への大切なプレゼントには、親の工夫が反映されているといえます。

図 1-2　フンのボールを割ったところ．中に白い卵が見える（写真：岸茂樹氏）

逃げるが勝ち！ のモンシロチョウ

大崎直太

チョウに争いはあるのか？

子供の頃からチョウが好きでした。チョウ採集で重要なのは、目的とするチョウの幼虫の食草《しょくそう》（昆虫が餌《えさ》とする特定の植物）を知り、食草のある場所で採集することです。たとえば、ナミアゲハの幼虫はカラタチやミカンなどのミカン科の植物を食べ、キアゲハはニンジンやミツバなどのセリ科植物を食べて育ちます。

当時は、チョウはなぜその食草を利用しているのかを考えたことはなく、「このチョウの食草はこれだ」という事実だけを受け入れていました。しかし、大学院で研究テーマを決める際に、チョウはなぜそれぞれの決まった食草を利用しているのかを明らかにしたいと思いました。

研究のきっかけは、『動物の種間関係』（菊池泰二著、一九七四年、共立出版）と『海をわたる蝶《ちょう》』（日浦勇著、一九七三年、蒼樹書房）という本でした。『動物の種間関係』には、一九三四年にソ連のガウゼが主張した「競争排除法則」が解説してありました。「同じ生態的地位（ニッチ）にある近縁の種は共存できない」という主張で、「その結果、近縁の種は少しずつ利用する環境を変えている。その際に作用するのが、資源をめぐる競争である」とありました。生態的地位とは、すんでいる環境や利用している資源のことです。資源とは、チョウでいえば幼虫の食草や成虫の吸蜜《きゅうみつ》植物のことです。

『海をわたる蝶』には、著者の日浦勇さんが、大阪府北部能勢町《のせちょう》の妙見山山麓《みょうけんさんさんろく》で調査を行い、モンシロチョウとその近縁種《きんえんしゅ》のスジグロシロチョウとエゾスジグロシロチョウの三種のチョウの幼虫が、アブラナ科の異なる植物を利用していると記していました。

私はこの二つの本から、モンシロチョウとその近縁のチョウが異なる食草を利用しているしくみを調べ、チョウにも食草をめぐる競争があるのか？　あるならば、どのような競争なのか？　なぜそのような競争が起こるのか？　その理由を明らかにしたいと思いました。

モンシロチョウの近縁種

モンシロチョウは、分類学上は、動物界・無脊椎《むせきつい》動物門《もん》・昆虫綱《こう》・鱗翅《りんし》目《もく》・シロチョウ

図1-3　左から、モンシロチョウ、エゾスジグロシロチョウ、スジグロシロチョウ。上はオス、下はメス

科《か》・モンシロチョウ属《ぞく》のモンシロチョウという種です。ちなみに人間は、動物界・脊椎動物門・哺乳《ほにゅう》綱《こう》・霊長目《れいちょうもく》・ヒト科・ヒト属のヒトという種です。

種の一つ上の分類単位の属は、最も近い関係にある種のグループをさす言葉です。シロチョウ科にはモンシロチョウ属、キチョウ属、モンキチョウ属など七六属あります。ヒト科なら、ヒト属以外にオランウータン属、ゴリラ属、チンパンジー属などがあります。なお、ヒト属にはヒトという種しか現存していなくて、ネアンデルタール人とか北京原人《ペキンげんじん》とかのヒト属の他種は絶滅《ぜつめつ》しました。

これから述べるのは、モンシロチョウ属(以後モンシロ属)というグループのモンシロチョウ(以後モンシロ)、スジグロシロチョウ(以後スジグロ)、エゾスジグロシロチョウ(以後エゾ)の三種のチョウの話で、三種のチョウ(図1−3)は「近縁の種」ということになります。

なお、エゾは、この研究を始めた頃は一つの種でしたが、二〇〇一年に二つの種に分けられ、北海道北部に生息するエゾと北海道南部以南、本州、九州、四国に生息するヤマトスジグロシロチョウの二種になりました。

しかし、この二つの種を識別するのは姿や形からでは難しく、遺伝子解析《いでんしかいせき》をして識別するそうです。そして、生態的な違いも確認できないので、ここでは従来通りの一つの種として扱い、エゾとよびます。

幼虫たちは何を食べるか？

モンシロ属の幼虫の食草は、すべてアブラナ科植物です。アブラナ科は、植物界・被子《ひし》植物門・双子葉《そうしよう》植物綱・アブラナ目・アブラナ科で、その下にアブラナ属、ハタザオ属、タネツケバナ属といった、モンシロ属の食草となる種が含まれる属があります。

アブラナ科のすべての植物は、カラシ油配糖体《ゆはいとうたい》という毒性のある防衛化学物質をもっています。この防衛化学物質があるから、アブラナ科植物は多くの昆虫に食べられないですんでいます。しかし、モンシロ属の幼虫は、この防衛化学物質に対処する能力があります。それだけでなく、モンシロ属のチョウはこの防衛化学物質を手がかりにして、アブラナ科の植物を探し出して産卵します。

植物はその特性により、作物、雑草、人里《ひとざと》植物、野草の四通りに分けられます。「作物」は人が利用する植物のことです(ここでは、農作物だけでなく、花や果樹などの園芸作物や林作物をも含みます)。「雑草」は作物に混ざって生え、作物から肥料などの養分を奪い、日陰をつくって作物の光合成を阻害《そがい》し、作物に害を与える植物です。「人里植物」は庭や畑の片隅、道ばた、空き地、線路沿いなどの人の住む場所に生えながらも作物に害を与えない植物です。そして、「野草」は野山に生えている植物です。モンシロ属の食草は、こうした植物の特性と関係があります。

調査でわかった、食草の違い

モンシロ属三種の生態調査は、京都市北部の上賀茂《かみがも》、大原《おおはら》、貴船《きぶね》、鞍馬《くらま》、花脊《はなせ》などの山間地で行いました。住宅地に近い上賀茂や大原は、モンシロとスジグロの二種がいるだけでしたが、郊外の貴船、鞍馬、花脊には、エゾを加えて三種のチョウが生息していました。

モンシロの食草は作物のキャベツで、日向《ひなた》の裸地に植えられます。

スジグロは野草のアブラナ科タネツケバナ属の植物を利用します。食草となるタネツケバナ属植物は、谷川の縁《ふち》の砂地に群落をつくる大柄な植物で、河川の護岸工事のために姿を消しつつあり、花脊にヒロハコンロンソウがあるだけでした。

しかし、スジグロは、数は多くないのですが、各地に生息していました。ダイコンやコマツナのような農作物やムラサキハナナのような園芸作物、イヌガラシのような人里植物などさまざまな植物を利用していました。また、モンシロと異なり、スジグロは日陰の植物を好みます。東京では、高層建築の日陰に植えられたアブラナ科園芸作物や、庭の片隅に生える人里植物を利用して、スジグロは数を増しているそうです。

エゾは、野草のアブラナ科ハタザオ属植物だけを利用していました。エゾが好むのは、渓《けい》流《りゅう》の縁の岩肌などに群落をつくる小柄なハクサンハタザオやスズシロソウで、他の植物におおわれています。貴船川や鞍馬川に沿って生育していました。

最も劣《おと》る食草を利用するチョウは争いの敗者か

私はそれまで、チョウはそれぞれが利用している食草が、それぞれにとって最もよい食草だと考えていました。つまり、生存率が高く、速く育ち、大きな蛹《さなぎ》に育つ、と考えていました。

　ところが、三種のチョウの幼虫をそれぞれ異なる三種すべての食草で育ててみると、どの食草でも良く育ちました。栄養的に優れた食草はどの幼虫にも優れており、劣る食草はどの幼虫にも劣っていました。

　特にエゾが利用しているハタザオ属植物では生育状態が悪く、エゾにとってさえ最も劣る食草でした。それを知った時に、私が考えたのは競争排除法則――つまり「エゾは競争に負けた種なのかも知れない」という考えがよぎったのです。

　しかし、エゾがモンシロやスジグロに追いはらわれているというような、競争らしきものは観察できません。そんな時に、カリフォルニア大学のストロングが「植物を食べる植食性昆虫には競争はない」という論文を発表しました。一九八四年のことで、彼は「生物の世界は理論や室内実験では競争排除法則で成り立っているが、自然界の植食性昆虫には競争はほとんど存在しない」と主張し、彼の主張はその後、定説になりました。私も「モンシロ属には競争はない」と思わざるを得なくなりました。

幼虫と食草のイタチごっこ

それでは、なぜエゾは劣る食草を利用しているのでしょうか？　そこで検討したのは、スタンフォード大学のエーリックらが一九六一年に唱えた化学的共進化《きょうしんか》学説でした。「食われる者」の植物には、防衛化学物質が進化します。「食う者」のチョウはその防衛化学物質に対処し、効率的に植物を消化できるように進化します。この「食う者」と「食われる者」のイタチごっこを、エーリックらは軍拡競争《ぐんかく》（「競走」の字も使用される）になぞらえました。軍拡競争はさまざまな地域で展開されるので、祖先が同じ種でも長い時間を経て何世代も重ねると、地域が違えば異なる植物とチョウに進化すると予測しています。

アブラナ科植物の祖先的種とモンシロ属の祖先的種の間で始まった軍拡競争は、世代を重ねて、現在多くのアブラナ科植物の種とモンシロ属の種をつくり出しました。そして、植物とチョウの間にはあと戻りできない強い結びつきがあります。

つまり、エゾが条件の悪い植物を利用しているのは、化学的軍拡競争の果てに悪い条件となった食草を、ほかに良い食草があるにもかかわらず利用しているという考え方で、これを「系統的限界説」といいます。

ですが、はたしてそうなのでしょうか？　モンシロ属の食草はアブラナ科植物、モンキチョウ属の食草はマメ科植物、というように大きな分類単位では、化学的共進化学説は当てはまりそうです。しかし、昆虫は食草を変更した例が以前から報告されています。外国から侵《しん》入《にゅう》して日本に定着したばかりの帰化《きか》植物に、すぐに産卵して利用を続ける場合もあります。エゾはハタザオ属植物の質的条件以外の何か良い点を利用して、適応《てきおう》(特定の環境で、生存や繁殖《はんしょく》に有利な形や性質をもつようになること)しているはずだと考えました。

幼虫のまわりは天敵《てんてき》だらけ

そんな時に、京都大学の佐藤芳文さんが一九七六年に書いたアオムシコマユバチ(以後コマユバチ)の論文が目に留まりました。コマユバチ(図1-4)はモンシロ属の幼虫に卵を産みこむ寄生蜂《きせいほう》です。モンシロ属の幼虫は、四回脱皮《だっぴ》して五齢《れい》を経て蛹になります(孵化《ふか》したばかりの幼虫が一齢、一度脱皮したものが二齢)。コマユバチは、モンシロ属一~三齢幼虫の体内に約三〇個の卵を産みこみます。そして、モンシロ属の五齢幼虫が蛹になる直前に体表を内部から食いやぶってコマユバチの三齢幼虫が脱出し、黄色い繭《まゆ》をつむいで繭の中で蛹になります。モンシロ幼虫は、蛹になれずに死にます。

論文には、「野外で採集したモンシロ幼虫の多くは寄生されていたが、スジグロ幼虫は体内でコマユバチの卵を血球包囲作用《けっきゅうほうい》という方法で殺してしまうので、寄生されていない」とありました。さらに、「エゾには実験的には寄生は成功するが、野外で採集した幼虫はほとんど寄生されていない」ともありました。そこで、佐藤さんと一緒に、エゾが野外で寄生されていない要因を明らかにすることにしました。

モンシロ属の幼虫には、コマユバチ幼虫だけでなく、ノコギリハリバエやマガタマハリバエなどのヤドリバエ類も寄生していました。ヤドリバエ類は卵をモンシロ属の四～五齢幼虫の体表に産みつけ、孵化した幼虫はモンシロ属幼虫体内に入りこみ、モンシロ属の蛹を内部から食いつくします。そしてヤドリバエ類の三齢幼虫が脱出して、囲蛹《いよう》（図1－5）というカプセルの中で蛹になりました。

図1-4　アオムシをつかまえたアオムシコマユバチ

ヤドリバエ類の卵が複数産みつけられたとき、ノコギリハリバエは養分を分け合って小さな蛹になりました。マガタマハリバエは最初に産みつけられた幼虫が、後に産みつけられた幼虫を針《はり》のような口吻《こうふん》で刺《さ》し殺して、常に一匹だけが寄生を成功させました。

図1-5　ヤドリバエの標本(右)と、囲蛹(左)

コマユバチとヤドリバエ類が同時に寄生した場合は、コマユバチは先に養分を獲得して、寄生は成功しました。残されたヤドリバエ類、ノコギリハリバエは小さな蛹になりましたが、マガタマハリバエは死にました。

その結果、野外で採集したモンシロ属幼虫は、モンシロはコマユバチやヤドリバエ類によって九〇％以上の寄生を受けていました。スジグロはコマユバチの寄生を免《まぬが》れていましたが、ヤドリバエ類に六〇％以上の寄生を受けていました。しかし、エゾはコマユバチだけではなくヤドリバエ類の寄生も免れていました。

生きのびる先は、天敵不在空間

コマユバチやヤドリバエは、モンシロ属の幼虫を探し出すために、幼虫の食草の上を飛び回り、葉にある幼虫の食痕《しょっこん》(食べたあと)を目で見て探します。葉に食痕状の切り傷があればそのそばにとまり、触角《しょっかく》で幼虫の食痕かどうかを点検します。その際の決め手は、幼虫の唾液《だえき》と植物の汁液《じゅうえき》が生合成《せいごうせい》してつくり出した化学物質です。その結果、切り傷とか他の昆虫の食痕ならば、その場を飛び去ります。もしモンシロ属の幼虫の食痕ならば、四〜五分間におよぶ丹念な探索をします。

幼虫も寄生者をさけるために、一〇分ぐらい食べてはその場を去り、五〇分間ほど離れた場所でやり過ごし、また食べに戻ります。

実験的に、食痕の付いた葉にモンシロ属幼虫を乗せてコマユバチに与えた場合は、コマユバチは食痕に反応して、すぐに幼虫に産卵しました。しかし食痕のない葉に幼虫を乗せてコマユバチに与えた場合、コマユバチは幼虫をまたいでも何の反応も見せずにいました。このことから、幼虫を探し出す過程で、食痕はいかに重要かわかります。

一方で、エゾ幼虫が利用するハタザオ属植物は、他の植物におおわれていました。慣れるまで、私も探し出すのに苦労しました。そこで、「エゾは利用しているハタザオ属の植物がほかの植物におおわれており、食痕が寄生者に見つからずにすんでいるので寄生を免れているのだろう」と考えました。

この仮説を検証するために、調査地をおおっている植物を取りはらい、後日、その場のエゾ幼虫を採集しました。寄生率は八〇%以上におよびました。つまり、エゾは寄生から逃れるための代償《だいしょう》として、栄養的には不利なハタザオ属植物を利用していたのです。

エゾの寄生回避《かいひ》法を明らかにした後の一九八一年、イギリス・ダラム大学のロートンらが類似の研究を発表して「Enemy free space」という印象深い言葉を使いました。これに信州大学の市野隆雄さんが、「天敵不在空間」という訳語をつけました。

適応度って何だろう？

ところで、生態学では「適応度」という言葉をよく使います。適応度とは、生物が環境にどの程度適応しているかを表す指標で、数値で表します。適応度が一ならば環境に適応して子孫を安定的に残せます。適応度が一より大きいなら子孫は繁栄し、小さいなら衰退《すいたい》します。

メスとオスの一対の生物は、繁殖できる二匹の子供を残せば子孫は安定的に続きます。この状態は、メスとオスのそれぞれが一匹の子を残すことになります。したがって、産卵数に繁殖できるまでの生存率をかけて二で割った値が適応度で、これを「絶対適応度」といいます。

適応度を一以上にする方法は、「数を撃《う》てば当たる」的にたくさんの子をつくって野放しにする場合と、少ない子を大事に育てる場合があります。エゾは、栄養条件の悪い植物を利用した結果、小さいので多くの卵を産めません。しかし、卵の大きさはモンシロの二倍あり、幼虫は卵の中で十分に育ったうえに、孵化した幼虫は寄生者からは守られているので、後者の少ない子を大事に育てるタイプだといえます。

数を撃てば当たるのか？

エゾ幼虫が植物におおわれた日陰で生活して寄生者から守られる一方で、モンシロ幼虫は、太陽の光の降りそそぐ日向のキャベツの上で過ごし、寄生者にさらされていました。幼虫の生息場所の気温を測ると、日向のモンシロの生息場所は日陰の生息場所より約五℃高かったのです。この五℃の違いは、モンシロの発育を速めていました。

モンシロ属三種が卵として生まれて成虫になるまでには、一日の発育有効温度と発育日数をかけて得た、約四〇〇日度の発育有効積算温度が必要です。モンシロ属の卵や幼虫は、気温が八℃を超すと発育が始まります。この温度を「発育臨界《りんかい》温度」といいます。エゾの生息場所の気温が一八℃だとすると、発育臨界温度の八℃を引いた一〇℃が、エゾの一日の発育有効温度となります。そして、産卵されて四〇〇日の発育日数を経て、四〇〇日度の発育有効積算温度を得ると、蛹が羽化《うか》してチョウになります。

この時、モンシロの生息場所はエゾより五℃高い二三℃になるので、発育臨界温度の八℃を引いた一五℃が一日の発育有効温度となり、四〇〇日度を一五℃で割って得た二六・七日がモンシロの発育日数となります。

京都市北部では、モンシロは一年間に約六世代をくり返します。エゾとスジグロは、約四世代です。モンシロの年間世代数が他の二種より二世代多いのは、生息場所が暖かいので発育が速いことと、同じ理由で寒さの残る春の浅い時期から晩秋までの長い期間発育が可能だからです。

モンシロの生息場所の温度が高いのは、モンシロの生活に二つの影響を与えていました。一つは、数撃てば当たる、という影響です。エゾとスジグロは大きな卵を少なく産み、エゾは一一四個、スジグロは一六九個でした。かたやモンシロは、より未熟な幼虫が生まれる小さな卵をたくさん産み、平均産卵数は三八六個でした。モンシロ幼虫の生息場所は、風雨にさらされる厳しい環境の日向です。したがって、たくさんの卵を産んで、生き残る子供の数を増やす数の確率にかけた生活をしているのです。

しかも、このモンシロ幼虫の生息場所が二三℃、ほかの二種が一八℃という条件で計算してみると、モンシロが二三℃の環境で得ている増加率を一八℃の環境でも得るためには、五三六二個の卵を産む必要があるとわかりました。

つまりモンシロは幼虫の生息場所として、日当たりがよくて温度が高くなる場所に生えるキャベツを利用しているので、見かけ以上に数撃てば当たる生活をしていました。

生息場所の温度が高いことが、モンシロの生活に与える影響は、ほかにもあります。それは、「逃げるが勝ち」。どういうことかは、次の項でお話ししましょう。

逃げるが勝ちのモンシロチョウ

次に私は、名古屋大学演習林のある愛知県奥三河《おくみかわ》の稲武町《いなぶちょう》(現・豊田市《とよたし》)でモンシロ属三種のチョウの移動分散を調べました。町の中央を流れる名倉川《なぐらがわ》に山肌がせまる地に二㎞×三㎞の調査地を設け、捕らえたチョウの翅《はね》にマジックペンで個体識別番号をつけてすぐその場で放すという標識再捕《さいほ》をしました(図1-6)。その際、捕らえたチョウの地図上の位置と、翅の傷み具合を四段階に分けて記録し、チョウの日齢《にちれい》を推測しました。

モンシロのメスは、羽化直後に交尾《こうび》を終えると二㎞以上分散しました。そして、新しくできたキャベツ畑があると、そこで定着的な産卵活動に入りました。羽化地と同じような古いキャベツ畑で産卵するメスもいました。モンシロのオスは移動せずに、平均二週間あまりの一生を、羽化した畑で過ごしていました。スジグロとエゾは、オスとメスの移動距離は変わらず、半径二〇〇〜三〇〇mの世界で一生を過ごしていました。

図 1-6　個体識別番号をつけたチョウ

モンシロが羽化するキャベツ畑は、寄生者も羽化する生息場所です。キャベツ畑は、モンシロや寄生者が二世代から三世代くり返すと、キャベツの収穫期を迎えて消滅します。ですから、その畑で世代をくり返したモンシロは、もともとは別の畑で生まれて飛びこんで来たチョウの子です。寄生者の動きは調べていませんが、できたばかりの畑での寄生率は二五%。その寄生率は世代を追って上昇し、消滅前の畑では七五〜一〇〇%に達しました。

モンシロのメスは、基本的に、そのような古い生息場所を飛び去って新たにできた畑のキャベツに産卵します。新天地は、まだ寄生者がやってきていない天敵不在空間です。

コマユバチが寄生できるのは、モンシロ幼虫の一～三齢期、ヤドリバエ類が寄生できるのは四～五齢期です。そのような寄生者に対する感受性の高い時期を暖かい環境で速やかに成長することでやり過ごすことが、モンシロが天敵不在空間を利用するための適応だと思います。逃げるが勝ち――これがモンシロの生き方でした。

その一方で、逃げも隠《かく》れもしないのがスジグロでした。その理由は、モンシロ属の最大の天敵であるコマユバチの卵を、体内の赤血球《せっけっきゅう》で包囲して殺してしまう血球包囲作用ができるからです。私も、だからスジグロは逃げも隠れもしないと当初は思っていました。

帰化植物の波紋《はもん》

しかし、スジグロが逃げも隠れもしないのは、ほかにも理由があったのです。スジグロが本州で利用しているのは、野草のタネツケバナ属植物と、ハタザオ属以外の日陰のアブラナ科植物です。

一九六〇年頃、北海道にキレハイヌガラシ(以後キレハ)というアブラナ科の帰化植物が侵入しました。カナダから牧草の種子に混ざって侵入し、鶏糞《けいふん》や牛糞などの有機肥料に混入し、北海道各地の畑、牧場、果樹園に広がったと考えられています。

その直後の一九六一年と一九六二年に、北海道大学の長谷川順一さんが、札幌《さっぽろ》郊外の七か所で、スジグロとエゾの食草を調査しました。

調査は五月中旬から九月中旬までの年間二四～二五回で、成虫を捕らえて種名を確認し、メスの産卵行動を観察し、食草上の卵や幼虫を採集して成虫まで育てて種名を同定しました。モンシロ属の卵や幼虫や蛹はよく似ていて種名の同定が難しく、成虫を用いての種名同定が最も確実なのです。

長谷川さんは調査の結果をまとめて、「スジグロとエゾは共存している。林の内部では両種ともタネツケバナ属のコンロンソウ(以下コンロン)を利用しており、林の外ではキレハを利用している」としています。ただし、どこでも、エゾはスジグロの三倍ぐらい数が多かったそうです。それから一〇年以上たった一九七〇年代に、やはり北海道大学の山本道也さんが、キレハはエゾによってその後も利用されているが、スジグロにはすでに利用されていないことを明らかにしています。

山本さんの調査からさらに三〇年以上たった二〇〇〇年代に入り、私は北海道で畑地や果樹園にキレハが生育していて、それを依然としてエゾが利用しており、スジグロは利用していないことを確認しました。そして、隣接した林の中にはコンロンが分布していて、それを

表 1-1　スジグロシロチョウとエゾスジグロシロチョウの食草利用状況

	場所：森の中 食草：コンロンソウ	場所：森の縁 食草：コンロンソウ	場所：森の外
1960 年以前	エゾ スジグロ(低密度)	エゾ スジグロ(低密度)	
1960 年頃			食草：キレハイヌガラシ侵入
1960 年代	エゾ スジグロ(低密度)	エゾ スジグロ(低密度)	エゾ スジグロ(低密度)
1970 年代以後	エゾ スジグロ(低密度)	スジグロ	エゾ

スジグロが利用していてエゾは利用していないことも確認しました。

四〇年以上前のキレハ侵入直後の共存とは異なり、両種のチョウはすみわけをするようになっていたのです(表1－1)。

コンロンは、本州では谷川の縁に生えていますが、北海道では森の奥まで分布しています(落葉樹の多い北海道は、春遅くまで陽が森の奥まで射し込むので、コンロンが十分に育つそうです)。北海道の国立公園の森の中にはキレハの侵入がなく、コンロンだけが分布していました。この調査は二〇〇四年に行いましたが、この状態は、キレハが侵入した一九六〇年以前の北海道の状態と同じです。

私は北海道の三か所の国立公園のコンロンから、モンシロ属の五齢幼虫を採集しました。幼虫はすべてエゾでした。ただ、スジグロの成虫も飛んでおり、コンロンに産卵する姿を何度か見たので、エゾに比べて低密度ながら、スジグロもコンロンを利用していることが確認できました。

さらに、網室《あみしつ》内に北海道各地のエゾとスジグロを導入し、キレハとコンロンを与えて、どの植物に産卵するかを調べました。すると、キレハとコンロンの両種がある地区のエゾはキレハだけに産卵し、スジグロはコンロンだけに産卵しました。一方、コンロンしか存在しない国立公園内のエゾとスジグロは、コンロンだけでなく、初めて接するキレハにも産卵しました。

競争はあるのか?

キレハが侵入した一九六〇年当時に北海道で起こったことをなぞってみると、森や林のなかにまでコンロンが分布し、エゾもスジグロもコンロンを利用して共存していました。しかし、数ではエゾが勝っていました。

森や林に隣接した畑や牧場や果樹園の縁に帰化種のキレハが生えるようになると、エゾもスジグロもキレハに接する機会ができ、キレハにも産卵するようになりました。

その後、エゾはキレハに適応して、コンロンの利用をやめてしまいました。一方のスジグロは、キレハに接した当初はキレハを利用しましたが、その後はコンロンだけの利用に戻ったのです。

　この現象を説明するために、まず、キレハとコンロンの質的な条件を調べるために、室温が二三℃に保たれていた北海道大学の恒温室《こうおんしつ》で、エゾとスジグロの孵化幼虫を飼育しました。キレハで育てた両種の幼虫は、今まで見たこともない大きな蛹になり、キレハが栄養的に極めて優れた食草であることがわかりました。

　次に、野外で採集した両種の五齢幼虫を飼育して、コマユバチとヤドリバエ類による寄生率を調べました。キレハとコンロンのある地区で、キレハから採集したエゾの寄生率は一二％でした。コンロンから採集したスジグロの寄生率は六四％でした。スジグロはコマユバチの卵を殺しますから、ヤドリバエ類だけの寄生率です。国立公園内のコンロンから採集したエゾの寄生率は八六％でした。

　キレハから採集したエゾへの寄生率が低いのは、キレハは葉が小さくて密生した群落をつくるため、幼虫による食痕がキレハ自体によって隠されて、寄生者による発見を妨げるのです。つまり、キレハは天敵不在空間を形成していました。

　キレハは栄養的に優れ、かつ、天敵不在空間をもつくっていましたから、モンシロ属にとってはスーパー食草のはずです。キレハを利用し始めたエゾが、コンロンからキレハに全面的に乗りかえたのは、適応度を上げるためには当然のことでした。

ですが、キレハを一度は利用したスジグロが、キレハの利用をやめてコンロンだけの利用に戻る理由は説明できません。

しかし、「この二種のチョウの間に何らかの競争があり、その競争にエゾが勝ってキレハを独占。負けたスジグロはキレハを利用できず、エゾの去ったコンロンだけを利用している」とするならば、説明は容易です。

しつこいオスが生んだ、驚きの新事実

少し時代は戻りますが、一九九二年に京都大学の久野英二さんが「繁殖干渉《かんしょう》の理論モデル」の論文を書いていました。繁殖干渉とは、二種の近縁種がいて、これらが異種間で交尾をしてしまって不妊《ふにん》になる、あるいは、生まれた子が不妊ならば、数の多い種が少ない種を排除する、という現象のことです。

もし、近縁種であるスジグロとエゾが繁殖干渉を起こすなら、両種の競争はこの繁殖干渉で説明できるかもしれません。そのため私は、スジグロとエゾを網室に入れて、異種間交尾

をするか観察しました。結局、両種は交尾せず、両種の競争について、繁殖干渉での説明をあきらめたことがありました。

しかし、北海道のエゾとスジグロの関係は、競争の存在を前提にしないと説明がつきません。そこでもう一度、京都大学の野外網室で、エゾとスジグロの繁殖干渉の有無を観察してみました。実験の準備をしたのは大秦正揚《おおはたまさあき》君（現・京都先端科学大学）で、二人で二種のチョウのメスを網室に放し、そこにオスのチョウを導入して交尾行動を観察しました。

その結果わかったのは、なんと、異種間交尾がないにもかかわらず、繁殖干渉が起こっていたということです。

スジグロのオスは、エゾのメスにまったく関心をはらわないのですが、エゾのオスは、スジグロのメスに異常な関心をもって執拗《しつよう》な求愛行動をくり返しました。そこで、別の網室実験で、求愛行動を示すオスがメスの産卵行動に与える影響も調べました。すると、スジグロのオスは、エゾの産卵活動にまったく影響を与えませんでした。しかし、エゾのオスは、スジグロの産卵数を半減させて、適応度を著しく落としていました。

このことは、北海道の現状をよく説明しています。キレハとコンロンという二種の食草があり、エゾがキレハを利用してコンロンを利用しないなら、スジグロはキレハを利用しようとすると適応度を落としますが、コンロンを利用すれば適応度を落とさずにすみます。しかしコンロンしかない場合、スジグロは低密度で細々と生活するしかありません。と同時に、スジグロが京都で天敵不在空間を形成するハタザオ属の植物を利用していない原因も、エゾに繁殖干渉で追いはらわれた結果であることを示唆《しさ》しています。

大きなメスは魅力的《みりょくてき》？

エゾとスジグロはよく似ていますが、スジグロの方が大型です。初夏の両種の前翅《まえばね》の長さは、スジグロは三〇㎜ですがエゾは二七㎜です。近縁種間で、小型種のオスが大型種のメスに求愛行動をする例を文献で探してみました。すると、バッタとヤモリで、二〇〇七年にドイツ・トリーア大学のホルキルチたちが紹介していました。

自種のメスより近縁の大型のメスに惹《ひ》かれる理由は、オスは適応度を上げるために、自分の子をより多く産んでくれる可能性のある大型のメスに求愛行動を示すのだそうです。彼らはこの求愛行動を、誤解《ごかい》求愛行動(misdirected courtship)とよんでいました。

コストパフォーマンス

生物は時間あたり最も利益が多くなるように行動する、というコストパフォーマンス(最適戦略理論)があります。利益とは、餌の場合もあれば産卵数の場合もあります。

たとえば、エゾの幼虫が利用している天敵不在空間は、食草のハタザオ属植物をほかの植物がおおっているのですが、それらの被覆《ひふく》植物の密度は思いのほか低く、目はあらいのです。ですから、寄生者が少し時間をかけて寄主《きしゅ》(寄生される相手)を探せば、容易に探し出せるはずなのです。

しかし、わずかでもより多くの時間がかかるなら、適応度が落ちます。したがって、寄生者は時間あたり最も多くの寄主を探し出せる最適採餌《さいじ》戦略にしたがい、天敵不在空間をさけて寄主を探します。

北海道で、スジグロが競争に負けたのも同じ理由です。スジグロがキレハに産卵しようとすれば、産卵はできます。しかし、エゾのオスに産卵をじゃまされて産卵効率が悪くなり、適応度が落ちます。

したがってスジグロのメスは、時間あたり最も多くの卵を産むことができる最適採餌戦略によって、エゾのオスにじゃまをされる可能性が高いキレハをさけて産卵します。一方、エゾがコンロンの利用を止めたのも、キレハを利用したほうがより子供を残せるという、最適採餌戦略で食草を決めているからです。

研究の出発点は、近縁のチョウに食草をめぐる競争があるかどうか、あるならどのような競争なのかの解明でした。競争の本来の定義は、生活に必要な資源、たとえば食物や住み家、などをめぐっての直接的な競争ですが、そのような競争はありませんでした。しかし、(繁殖干渉という形で、より多くの子供を残せる食草をめぐっての)間接的な競争がありました。

子供の頃に私が追い求めたチョウは、食草があるにもかかわらず数が少ないめずらしいチョウでした。今考えると、繁殖干渉で追いはらわれた種なのかもしれません。

くり返しになりますが、モンシロがキャベツを好むのは、キャベツの栄養分が高くて卵をたくさん産めるからではありません。キャベツは日向に植えられ、短期間で収穫される作物で、このことがモンシロに天敵から逃れる術《すべ》を与えていたのです。

疑問をもって調べてみると、複雑そうに見えたチョウが異なる食草を利用するしくみは、単純な法則の組み合わせで成り立っていたのです。

第２章

共進化が生んだ「オンリー・ユー」

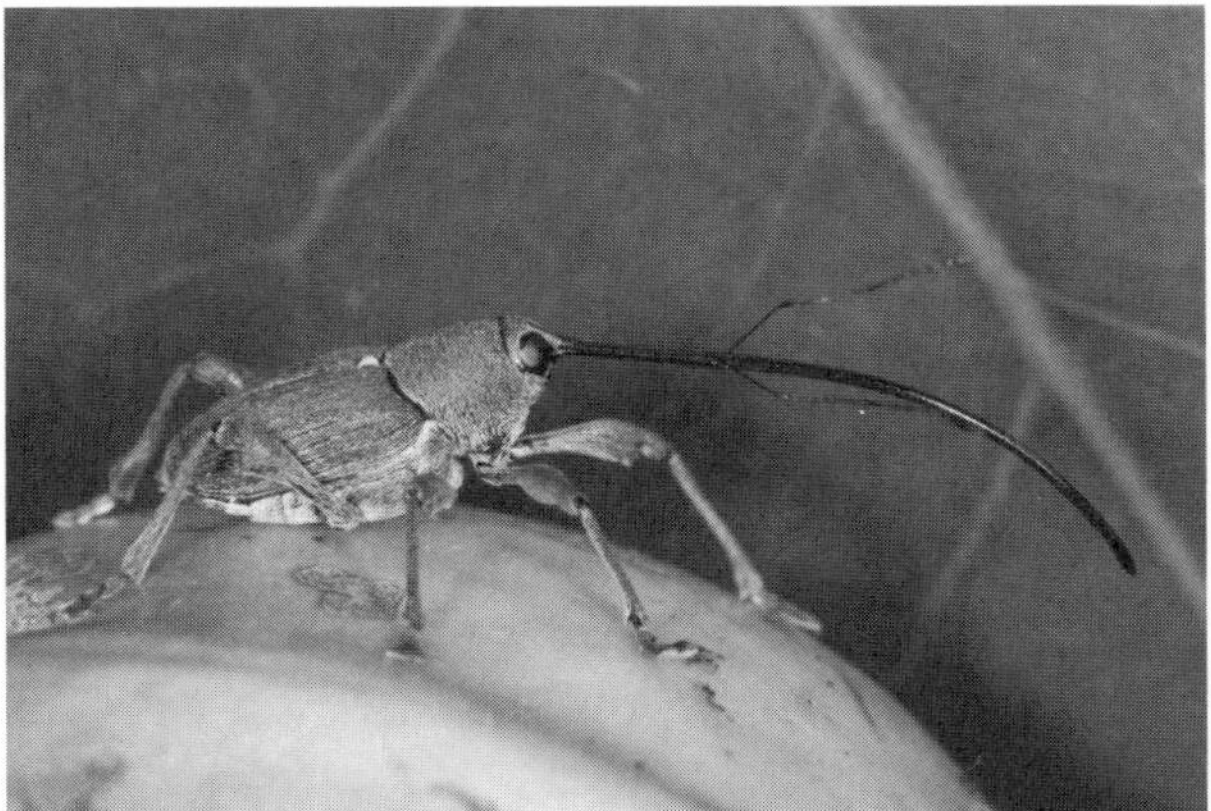

ツバキシギゾウムシ

ゾウムシの「槍《やり》」とツバキの「盾《たて》」の共進化《きょうしんか》

東樹宏和

何だこれ⁉

まずは本章の扉絵を見てください。ツバキシギゾウムシという虫です。変な虫ですね。体長はだいたい八㎜くらい、そして頭にそれと同じくらい長い棒がついています。この棒はじつは口で、専門用語では口吻《こうふん》とよばれます。かたいのかなあ？　曲がるのかなあ？　いったい何に使うのでしょう？

昆虫のなかには、オスとメスで形や大きさ、模様、色といった「形質」に違いがみられるものが多くいます。そう、カブトムシやクワガタムシがよい例です。チョウやトンボにも、オスとメスで色が違う種が多いですね。こうした、オスとメスで形や色に違いがみられる現象のことを、「性的二型《せいてきにけい》」とよびます。

昆虫に限らず、多くの動物において、オス同士がメスをめぐって争います。カブトムシや

図2-1　ツバキシギゾウムシの交尾

クワガタムシのように、オスが長い角や大きなあごをもっていて、武器として使っているのが一般的です。

ゾウムシについても、南米に生息するミツギリゾウムシで、武器を使ったオス同士の闘争が報告されています。ミツギリゾウムシの一種に関する研究論文によると、オスが長い口吻を振り回して相手をひっくり返したり、メスから引きはがしたりしてしまうらしいのです。ツバキシギゾウムシも、同じようにオス同士が口吻を使ってフェンシングでもするのでしょうか？

次の図2-1は、メスとオスが交尾《こうび》をしている写真です。上がオス、下がメスです。残念ながら、フェンシング仮説はハズレです！　オスは口吻が短く（それでもそこそこ長いのですが）、はるかに長い口吻をもつメスのほうが、なんだか「カッコイイ」ですね。

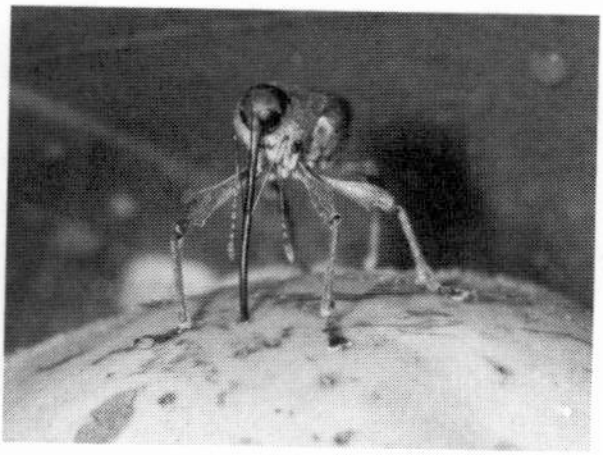

図2-2　口吻を刺すメスのゾウムシ

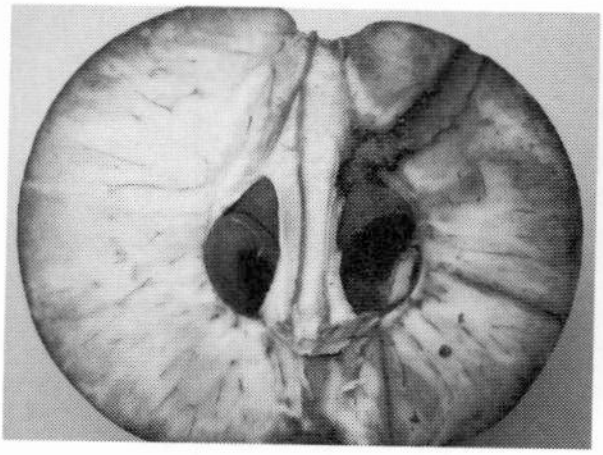

図2-3　ヤブツバキの果実の断面

長——い口吻は何のため？

では、なぜメスのゾウムシが特に長い口吻をもつのでしょう？　図2－2の写真を見てください。メスのゾウムシが、植物の果実に口吻を刺《さ》しています。ゾウムシはカブトムシと同じ甲虫《こうちゅう》の仲間なので、口吻はとてもかたいのです。この口吻の先には、鋭くとがった小さなあごがついています。口吻をまさにドリルのように使って、少しずつこの果実に穴を開けていきます。

この果実はヤブツバキという植物のものです。冬から春にかけて、公園や庭で真っ赤な花を咲かせるあのツバキです。図2－3はヤブツバキの果実を割った断面の写真です。なかに種子が入っていますが、この種子こそ、ツバキシギゾウムシの幼虫が成長するために必要な食物なのです。

ここまできたら、もうおわかりでしょう。そうです、ツバキシギゾウムシのメスが長い口吻をもつのは、ヤブツバキの果実に穴を開け、なかの種子に産卵するためだったのです。ヤブツバキの種子は、かたくて厚い皮(果皮《かひ》)で守られています。ですので、鋭いドリルで果皮に穴を開けないと、種子に卵を産みこめません。一方、オスは卵を産まないので、長い口吻をもつ必要はないのです。

進化が起こるしくみ——変異《へんい》・自然選択《しぜんせんたく》・遺伝

長い口吻が産卵のために存在することは想像がつきましたが、口吻の長さの「進化」について、もう少し詳しく考えてみましょう。

鼻の長いゾウも、そのご先祖様は短い鼻をもっていました。ツバキシギゾウムシも、大昔のご先祖様は、きっと短い口吻をもっていたのでしょう。では、短い口吻のゾウムシから、いったいどのようにして長い口吻のゾウムシが進化してきたのでしょう?

まず、鍵《かぎ》となるのが、一頭一頭のゾウムシの間にみられる違いです。同じ森にすむツバキシギゾウムシのメスでも、口吻の長さをよく観察すると、個体間で多少の違いがみられます。同じ生物種の集団のなかであっても、個体間で形質に違いがみられることがよくありますが、そうした違いを「変異」といいます。

個体間で変異がある場合、しばしばおもしろい現象が起こります。口吻の長いメスゾウムシの個体は、ツバキの防衛(果皮)を高い確率で突破し、なかの種子に産卵することができます。しかし、口吻が短いメスゾウムシは、ツバキの果皮にはばまれて、産卵に失敗してしまうことが多いのです。その結果、口吻の長い個体と口吻の短い個体の間で、残せる子供の数に差が生まれます。こうした自然の要因で子を残せたり残せなかったりすることを「自然選択」とよびます。

産まれた卵は、幼虫・蛹《さなぎ》を経て、次のゾウムシの世代となっていきます。子は親に似るものです。遺伝子《いでんし》によって口吻の長さが制御《せいぎょ》されているため、基本的に口吻の長い親の子供は口吻が長く、口吻の短い親の子供は口吻が短くなります。親から受け継いだ遺伝子《いでんし》によって、子の口吻の長さが左右されるのです。これが「遺伝」です。

まとめましょう。「変異」「自然選択」「遺伝」の三つが組み合わさると、何が起こるでしょう? そうです、ゾウムシの親の世代よりも子供の世代で、口吻の長いメスのゾウムシの割合が増えるのです。もう少し専門的に言うと、長い口吻を発現する対立遺伝子の頻度《ひんど》が変化します。じつは、これこそが「進化」とよばれる現象なのです。

防衛の進化

メスゾウムシの口吻が長く進化したら、ツバキは大変です。果皮はもはや防衛として機能しなくなり、種子はほとんどゾウムシの幼虫に食べられてしまうでしょう。しかし、ツバキも負けてはいません。ツバキだって進化するのです。

一つの森のなかであっても、果皮の厚さは個体（木）の間で異なります。そう、「変異」があります。そこにゾウムシがやってきて産卵を試みるところを想像してみましょう。果皮の薄いツバキの個体は簡単に卵を産み付けられてしまい、種子の多くを食べられてしまいます。一方で、果皮の厚いツバキの個体は、防衛に成功し、種子を残すことができます。この「自然選択」を生き延びた種子の多くは、厚い果皮をもつ個体の「遺伝」的性質を受け継いでいるでしょうから、世代が進むにつれて、厚い果皮のツバキが増えていくのです。

進化が起こる条件のなかで、「変異」の存在は簡単に観察することができますし、「遺伝」についても、生物学の主要な研究対象になっています。しかし、「自然選択」については、検証がかなり大変で、どの生物でも簡単にできるわけではありません。

結構大変な作業でしたが、ツバキの果皮に働く自然選択について実験的に調べてみました。果皮が厚いツバキと果皮が薄いツバキの間で、ゾウムシによる攻撃の成功率を比較してみたのです。「ツバキ果皮の厚さ」の軸にそって、ツバキの防衛成功率（縦軸）がどう変わるかみ

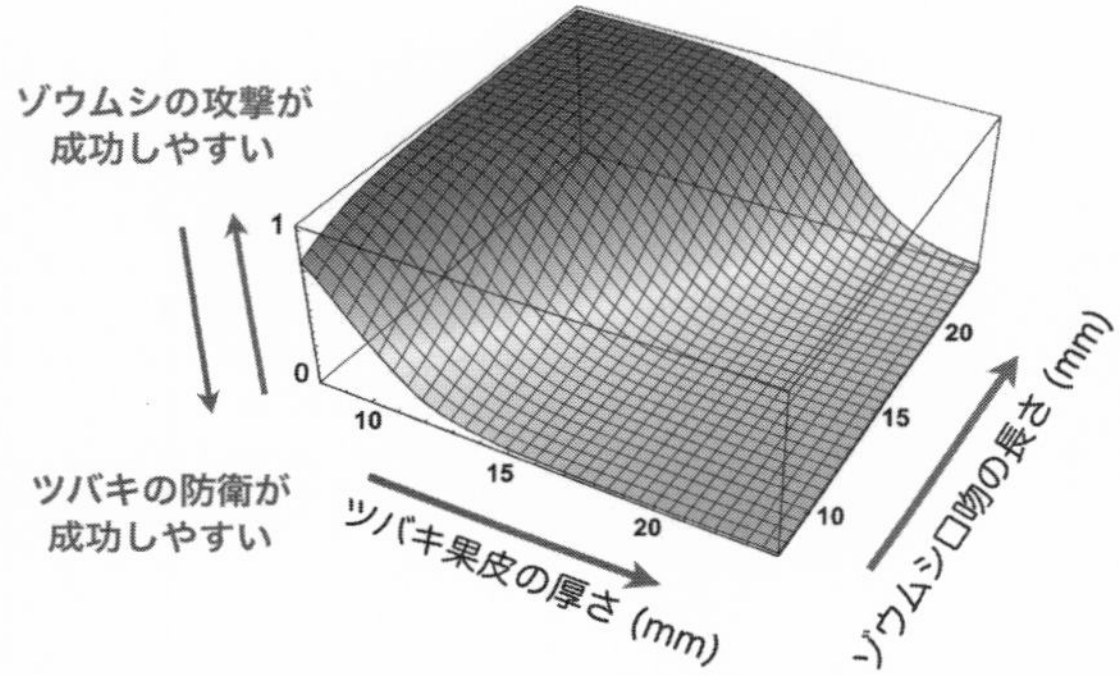

図2-4　ゾウムシによる攻撃の成功率。手前の軸はツバキの果皮の厚さ。奥行きの軸はゾウムシの口吻の長さ。縦の軸はゾウムシによる穴開けの成功率。果皮が薄く、口吻が長いと、成功率が高くなることがわかる

てください。図2－4の結果を見ると、厚い果皮のツバキほど、ゾウムシから種子を防衛できる(ゾウムシの口吻が種子に届かない)確率が高いことがわかります。

進化のレース——共進化

図2－4をもう少し詳しくみてください。この実験には、さまざまな厚さの果皮をもったツバキだけでなく、さまざまな長さの口吻をもったゾウムシも使っています。「ゾウムシ口吻の長さ」という軸にそって結果を読み取ると、口吻が長いほど、メスゾウムシが果皮を貫通して種子まで穴を開けることに成功しやすいことがわかります。

ここで大切なのが、ゾウムシの口吻の長さと

ツバキの果皮の厚さとの間のバランスです。森のなかで起こることを想像してみましょう。薄い果皮のツバキばかりの森では、たいして長い口吻をもっていないメスゾウムシでも産卵することができます。しかし、厚い果皮をもつツバキが多い森では、ゾウムシは相当に長い口吻をもっていないとツバキの種子に産卵できません。

同じことはツバキにも当てはまります。ゾウムシがみな短い口吻しかもっていない森では、ほどほどに厚い果皮をもっているツバキであれば、種子を食われずにすみます。しかし、長い口吻をもつメスゾウムシが多い森だと、とても分厚い果皮をもったツバキ以外は、種子を残せないでしょう。

進化によってゾウムシの口吻が長くなっても、ツバキが対抗《たいこう》して厚い果皮を進化させてしまいます。そうすると、ゾウムシはまたふりだしに戻されてしまいます。自然選択によってさらに長い口吻が進化しますが……、またツバキが追いついてきてしまいます。これではキリがありません。まるでレース(競走)のようです。相手の武器(口吻)や防衛(果皮)を上回る者だけが子孫を残せる、過酷《かこく》な環境なのです。

こうした現象を「共進化」とよびます。特に、武器や防衛といった敵対的な形質の間でこうした進化のレースが起こる場合、「軍拡《ぐんかく》競走」といいます。この軍拡競走にこそ、ツバキシギゾウムシのようなヘンテコ(だけどカッコイイ)生物種が生まれる秘密が隠《かく》されているのでしょう。しかし、ある生物種と生物種の間で本当に軍拡競走が起こっていることを証明するのは、非常に難しいこととされてきました。

地域によって全然ちがうぞ!

私はこの「軍拡競走」を研究するなかで、日本じゅう、さまざまな地域で調査を行いました。ヤブツバキに関しては、地域によって果皮の厚さが大きく違うことが知られています。本州では一般的にピンポン玉サイズの果実が多くみられ、果皮も四~九㎜ほどです。

しかし、四国や九州の南部では、「リンゴツバキ」とよばれるヤブツバキの変種がみられ、果実が本当にリンゴのような大きさに達する木もあります。種子が入っている部分の体積は本州のツバキとたいして変わらないのですが、特に屋久島《やくしま》の一部地域では、果皮が二〇~二五㎜に達します(図2-5)。

研究をはじめた当初、関西の森でツバキシギゾウムシを採集してまわりました。本州ではどこでもだいたい九~一〇㎜ほどの口吻をもつメスがみられます。続いて四国や九州北部に行ってみると、一一~一三㎜とだいぶ長くなります。では、リンゴツバキが生育する地域では、二〇㎜を超える口吻長をもつツバキシギゾウムシが本当にいるのでしょうか？
九州南部を対象とした調査旅行は、厳しいものでした。当時、大学の卒業論文に取り組んでいた私は、最初の一週間で全然ゾウムシが採れないことに落胆《らくたん》し、「もう研究者になるのはあきらめよう」と意気消沈《いきしょうちん》していました。ツバキの果皮がゾウムシに対する防衛だとすると、その厚さと肩を並べる長さの口吻をもつゾウムシがいるはずなのですが、「その仮説が間違っていたのだろうか」という思いがどんどんふくらんできます。

そんな経緯《いきさつ》があるので、とてつもなく口吻が長いツバキシギゾウムシが初めて網《あみ》に入ったときの驚きと興奮は、今でも鮮明《せんめい》に思い出すことができます。図2‐6の写真を見てください。上は関西の、下は九州南部のメスのゾウムシです。これが本当に同じ種なのかと疑いたくなるような違いですね。

こうして日本各地で採集されたサンプルをもとに解《かい》

図2-5　一般的な大きさのヤブツバキの果実(左)とリンゴツバキの果実(右)

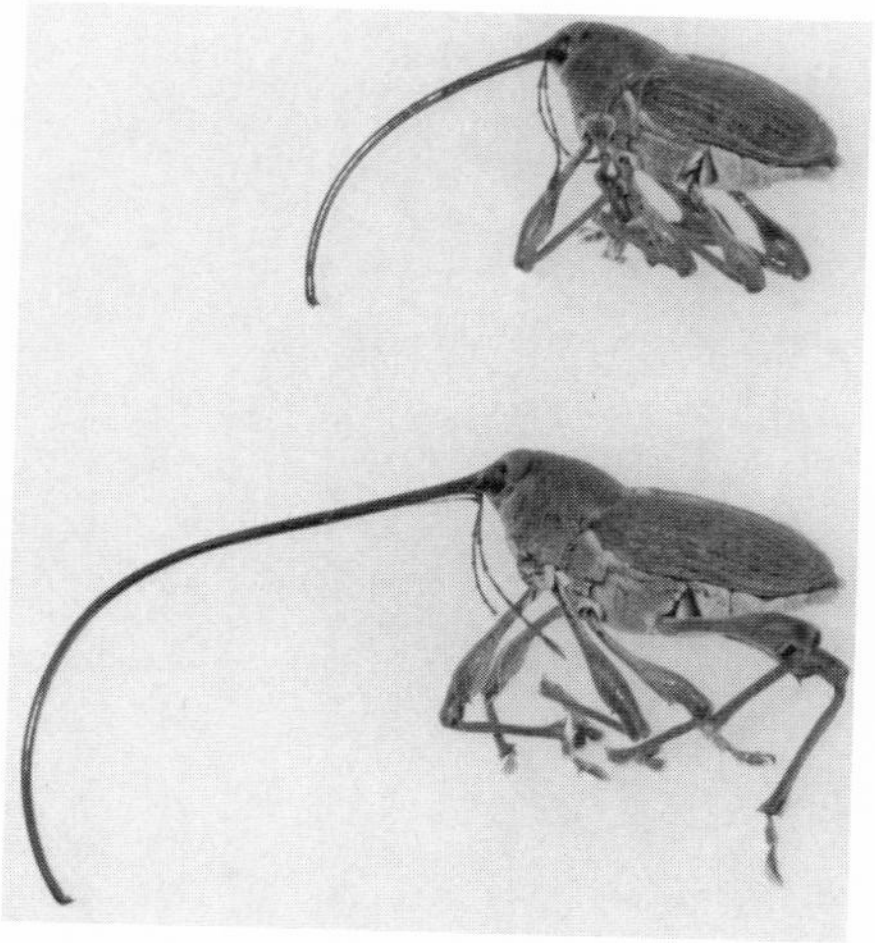

図2-6　メスのゾウムシ。関西(上)と九州南部(下)のもの

析《せき》したところ、ツバキの果皮の厚さとゾウムシの口吻長との間には、明らかな相関関係がみられました。ちなみに、ツバキシギゾウムシのいない島では、ゾウムシのいる島に比べてツバキの果皮が薄い傾向にあります。

厚い果皮をつくるためには、それだけ光合成でかせいだ光合成産物(栄養)を投入しなければなりません。ゾウムシが何らかの理由で絶滅《ぜつめつ》したか、もともといない島では、果皮をつくるための栄養を、花や実をたくさんつけるなどほかのことにまわせるので、薄い果皮のほうが有利なのでしょう。

なぜ温暖な地域ほど軍拡競走が進むのか?

なぜ本州よりも四国や九州で軍拡競走が進んでいるのでしょう？　この問いかけに答えるのはとても難しいことなのですが、数学が得意な人なら、理論的に仮説を立てることができるかもしれません。

ゾウムシとツバキの共進化を対象に、数理生物学者が連立微分方程式をつくったところ、以下のような推測が得られました。ツバキの光合成がさかんな地域では、たくさんの種子が生産されます。そうすると、ゾウムシの数も増え、ツバキの防衛形質に働く自然選択が強くなります。その結果、ツバキの果皮が厚く進化すると、さらにゾウムシの長い口吻が対抗進化し、軍拡競走がどんどん進むと予想されます。

こうした予測をもとに、軍拡競走の進行レベルが決まるしくみを明らかにしてみたいものです。しかし、何十年、場合によっては何百年もゾウムシやツバキの形態を計測し続けなければならないでしょうから、挑戦《ちょうせん》するのも大変です。

軍拡競走に終わりはあるのか？

さて、ゾウムシとツバキの軍拡競走ですが、最終的にどちらが勝つのでしょうか？　おもしろいデータがあるので、読み解いて、予想を立ててみましょう。

日本列島の各地の森を比較してみると、ツバキの果皮が厚いところでは、メスのゾウムシの口吻も長いという傾向がみられました。しかし、よく見てみると、本州ではだいたいどこの森でも、ツバキの果皮の厚さよりもゾウムシの口吻の長さのほうが、だいぶ上回っています。一方、四国や九州の南部では、メスゾウムシの口吻長とツバキの果皮の厚さがちょうど同じくらいになっています。

つまり、本州ではどちらかというとゾウムシが有利な状態、四国や九州の南部では両者が拮抗《きっこう》する状態になっていることが読み取れます。実際、ゾウムシが果実表面に開けた穴のうち、種子に届いたものが何%か調べてみたところ、本州では九〇%近くになるところがありましたが、九州南部では二〇%程度になってしまっているところもありました。

九州南部の森のなかには、メスゾウムシの攻撃をまったく寄せつけないほどに果皮が厚いツバキの個体もいて、ゾウムシを採集しようとしてもほとんど採れないところもありました。こうした場所では、ツバキシギゾウムシがヤブツバキの進化についていけなくなっていて、絶滅しかけているのかもしれません。

ゾウムシの体の構造を調べてみると、「ゾウムシ側の進化に限界がある」のではないかと思えてきます。口吻長が特に長いメスを解剖《かいぼう》してみると、おもしろいことがわかります。

メスゾウムシは口吻でツバキの果皮に穴を開けたあと、産卵管を種子まで刺し込まなければいけません（図2－7）。この産卵管ですが、体のなかで二つ折りになって、頭部にまで達しています。あまりくねくねしていると、体のなかで腸や他の器官とからまってしまうでしょうから、シンプルに二つ折りにして体のなかに収納できるくらいの長さが限界なのではないか、と私は想像しています。

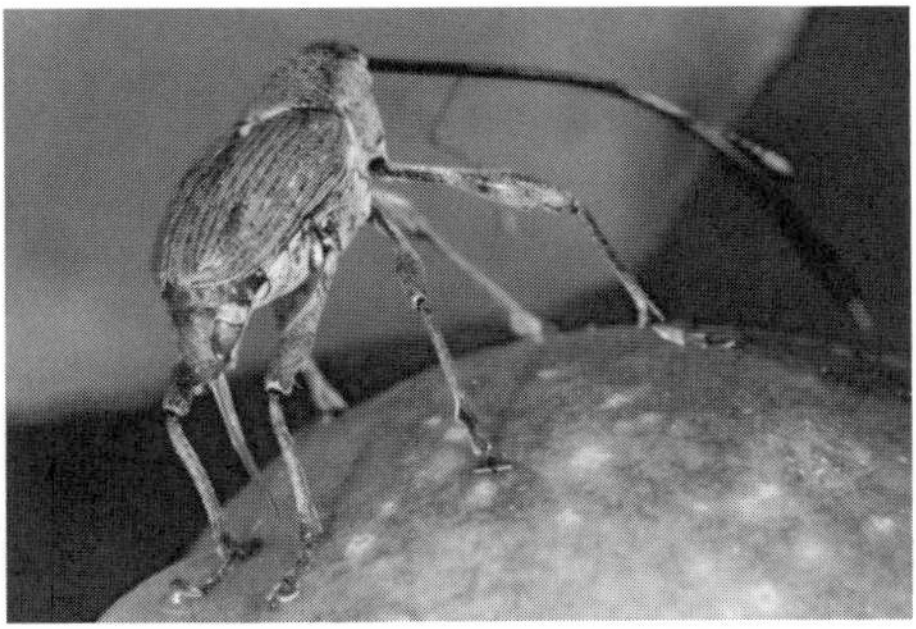
図2-7　産卵管を刺すメス

それなら、長い産卵管を収納できるように体が大きくなればいいのではないかと思えます。しかし、そういうわけにもいかないようです。ツバキの種子のサイズは本州でも九州南部でもだいたい同じですので、体を大きくしようにも、幼虫時代に手に入る餌《えさ》の量に限界があるのです。ですので、体長は一〇㎜くらい、産卵管の長さも体長の二倍くらいが限界で、口吻の長さもそのルールにしたがっているのではないかと私は考えています。

もちろん、これは私の仮説に過ぎず、まだ証明されて

図2-8　ダーウィンフィンチ類。すむ場所によって得られる餌が違うため、それぞれの場所で餌を採るのに有利な形のくちばしをもつ個体が生き残り、定着した

いません。謎《なぞ》解きは続きます。

軍拡競走はどれくらい速く起こるのか？

奇妙な形態を生み出したツバキシギゾウムシとヤブツバキの軍拡競走ですが、いったいどれくらいの時間スケールで起こったのでしょうか？

進化というと、一〇〇万年や数千万年のスケールでゆっくりと起こる現象というイメージを、みなさんおもちかもしれません。しかし、ガラパゴス諸島に生息する鳥、ダーウィンフィンチ類（図2-8）では、餌を採るためのくちばしが強い自然選択を受け、数年から数十年程度で大きく変化（進化）したことが報告されています。

日本各地で採集されたツバキシギゾウムシのDNAを分析することで、口吻長が大きく異なるゾウムシの集団がどれくらい昔に分かれたのか調べてみました。すると、口吻長が体長と同じくらいの本州の集団と、口吻長が体長の二倍に達する九州南部の集団が一万四〇〇〇年ほど前に分かれたという推定結果が得られました。

一万四〇〇〇年ほど前というと、縄文《じょうもん》時代がはじまった頃です。ダーウィンフィンチほどではないですが、ツバキシギゾウムシとヤブツバキの進化も、意外と急速に起こったのだと考えられます。

関わり合いのネットワーク

ツバキシギゾウムシとヤブツバキの軍拡競走の研究では、一種対一種の関係性を軸に研究を進めてきました。しかし、ゾウムシもツバキも、生態系のなかで他のさまざまな生物種と複雑な関係を築きながら生存しています。たとえば、ツバキシギゾウムシの終齢《しゅうれい》幼虫はツバキの種子から脱出したあと、土のなかで休眠《きゅうみん》しますが、その間に冬虫夏草《とうちゅうかそう》というキノコの仲間に寄生《きせい》されてしまうことがあります(コラム参照)。また、ゾウムシにも、ツバキにも、体のなかに共生《きょうせい》する細菌《さいきん》(バクテリア)や真菌《しんきん》(キノコ・カビ類)がいて、未知の機能を担っていると考えられます。

一種だけで孤独に生きている種は、おそらく地球上にいないでしょう。生物たちがさまざまな共進化のドラマをくり広げながら、現在私たちが目にする生態系が形づくられてきました。

こうした関わり合いのネットワークの全体像を解明する研究が、今後加速していくことでしょう。

コラム　ジミに死ぬジミな虫たち

ツバキシギゾウムシの研究が一段落した頃、新しい研究テーマを求めて、さまざまなシギゾウムシを飼育していました。ドングリやクリを拾ってきては、そこから出てくるクリシギゾウムシやコナラシギゾウムシの終齢幼虫を集め、蛹化《ようか》・羽化《うか》するまで土のなかで休眠させていました。

「よーし、これで数千個体は集まったかな?」と、大量の飼育ケースを前に満足していた矢先、気になるものをみつけました。幼虫が入った飼育ケースのなかに、白い菌糸《きんし》が網の目のように拡がってきているのです。よくしらべてみると、あのケースもこのケースも、菌糸でいっぱい。そして、ゾウムシの幼虫たちは無残に寄生されて全滅に近い状態でした。

昆虫に寄生する真菌類としては、冬虫夏草が有名です。セミの幼虫からキノコを生やすセミタケの仲間をご存知の方もいるかもしれません。どうもシギゾウムシの幼虫が高密度で入った飼育容器は、冬虫夏草(の無性世代)にとって格好の餌場だったようです。

そういえば、私には似たような経験が以前にもありました。とある無人島で生物調査をしていたとき、突然の雷雨にあい、急いで森に逃げ込みました。外来種のモクマオウの木がうっそうとしげる気味の悪い森のなか、ふとあたりを見渡すと、どの木の幹にも、クマゼミが数十匹という超高密度でとまっています。ゾワッとする光景に出くわしたと感じた次の瞬間、私はさらに重大なことに気づいてしまったのです。大量のクマゼミたちがすべて死んでいるではありませんか！

よく見ると、どの個体も、体節の間から青緑色の菌糸を出して死んでいます。口吻を幹に突き立てているものもあれば、交尾中のものもいます。最後の瞬間まで何気なく活動していた虫たちに訪れたであろう、突然の死。彼らの運命の歯車はどこで狂《くる》ってしまったのでしょうか？

セミのメスは、樹皮に産卵することが知られています。孵化《ふか》した幼虫は、土のなかにもぐり、根から吸汁《きゅうじゅう》して何年もかけて成長します。もしかすると、樹皮から土のなかに移動するときにすでに菌が幼虫に取り付き、その幼虫がやがて成虫となって地上に現れるまでセミの体内に潜《ひそ》んでいたのかもしれません。木の幹にとまったセミから胞子《ほうし》(無性胞子)を飛ばせば、広範囲に生息域を拡げることができるでしょうから。

　人知れず虫は死ぬ。ジミに死んでいく。しかし、そこに隠されたドラマに生態系の真髄《しんずい》があるような気がしてなりません。

相思《そうし》相愛《そうあい》？　アリと植物のコミュニケーション

村瀬　香

読者の皆さんのなかには「虫が苦手」という人もいるかもしれません。でも、ちょっとだけ考えてみてほしいのです。私たちヒトは、地球上で多くの環境問題を次々と生み出してきました。一方で、昆虫は、人為的な環境破壊なしには、地球を傷つけるようなことはありません。

森に行けば、自然の調和を感じることができるでしょう。飛び交う虫の羽音を、ふみしめる落ち葉の音を聞いてください。すべてがリサイクル可能で、皆がつながっていて調和を生み出しています。雨が降り、川となり、植物の一部となり、それを食べた虫や鳥の一部になり、またヒトの身体をうるおします。私たちは、皆つながっていて、同じ酸素や炭素《たんそ》をリサイクルしているのです。森の昆虫たちから学ぶことは多いと思います。

そのなかでもアリ類は、単独で行動するだけでなく、他の個体と協力して行動するなど高度な社会を構築しており、ヒトが見習うべき視点は山のようにあります。この章では、私が魅了された、植物に共生《きょうせい》する「植物アリ」とよばれるアリ類のことをお話しします。

ジャングルの種は、なぜ多いのか?

生物多様性とは、地球上で多様な生物が存在している状態を指します。この生物多様性に関する研究は、ある森林に生息する種数の推定や、近い種(これを「近縁種《きんえんしゅ》」とよびます)間の関係を調べる研究などに関心が集中していて、生物多様性を維持《いじ》・崩壊《ほうかい》させるしくみはほとんど注目されてきませんでした。

そこで私は、一定の面積あたりの植物種数が世界で最も多いといわれている東南アジア熱帯域の原生林で、生物多様性の維持・崩壊のしくみを解明する研究に着手することにしました。この研究は、大学一年生の時に、京都大学の故《こ》・井上民二先生にボルネオ島の熱帯林を紹介され、その直後にボルネオ島を訪れた時に開始しました。

その前に、アリ類の研究者で、高校教師でもあった木野村恭一先生との出会いがあり、さらに、大学学部時代に社会性昆虫勉強会という研究会で勉強させてもらっていたので、ボルネオ島でアリ類の研究を選ぶのは自然な流れでした。今思えば、十代のうちから素晴らしい先生や先輩《せんぱい》に導かれ、とても幸運であったと思います。

熱帯の生物多様性を特徴づける性質の一つとして、近縁種の「同所性《どうしょせい》」があげられます。「同所性」とは、二種以上の種が同じ環境に重複分布している状態です。近縁の植物であれば、生活のパターンや必要とする栄養が似ていると考えられるため、ある環境ではその環境に最も適した種のみが有利となり、その環境を占有すると予想されます。

しかし、熱帯では、複数の近縁種が同じ場所に、たとえば、学校の教室ほどのせまい所に共存しているのです。なぜこんなことが可能なのか、単純な近縁種間の競争だけを考えていては、この不思議な現象を説明できそうにありません。そこで私は、植物に限らない、生物間の関係性に注目することから始めました。

図2-9 「アリ植物」のオオバギ種

東南アジア熱帯域を中心に分布するオオバギ属の植物には、「アリ植物」とよばれるグループが含まれます(図2－9)。オオバギ属のアリ植物は、特定のアリ種に食物と巣場所を提供し

図2-10　同所的に生息する複数のオオバギ種

て共生関係を結び、その特殊なアリ種にパトロールをゆだねて、植食性(植物を食べる)昆虫やツル植物などから自身を守ってもらっています。このように、アリと植物の両方に益のある共生関係をもち、植物を守るように進化したアリ種を「植物アリ」とよびます。

オオバギの近縁種数種は、その分布域が同所的であるにもかかわらず、それぞれのオオバギに特殊化《とくしゅか》した「植物アリ」のみと共生関係をもっていることが、オオバギ成木を対象とした調査によってわかっています(図2-10)。同所的に生息するオオバギのアリ植物は、どの種であっても、茎《くき》を空洞《くうどう》にして植物アリに巣場所を提供していますし、「栄養体《えいようたい》」とよばれるアリの食物も生産しています(図2-11)。

同じような特徴をもつアリ植物が、同じ環境に複数種生息しているにもかかわらず、なぜ、アリ種が混ざることなく、パートナーのアリ種のみと共生関係を維持できるのでしょうか?

植物アリとオオバギの間で、種の組み合わせが決まっていることを、「種特異性《しゅとくいせい》」とよぶことにします。それぞれのオオバギ種が、パートナーのアリ種のみと共生関係となるしくみ、つまり種特異性の維持機構が解明されれば、熱帯の近縁種の同所性のなぞを解くことにつながるはずです。

相思相愛のなぞ――新女王アリの選択

図2-11　このオオバギ種は葉と茎の間にある器官(托葉：たくよう)が膨らんでおり、この中に栄養体がある。アリはオオバギの葉や茎の上でパトロールをしている

私はフィールドワーカーでしたので、膨大《ぼうだい》な時間を野外観察に費やすことができました。野外の観察によって、どれがどのオオバギ種の子供(これを「実生《みしょう》」とよびます)か、どの女王アリがどの種の植物アリかわかるようになったため、各オオバギ種の実生を集めはじめました。いろいろな機関に許可を取り、大工さんを探し、町で木材を購入して実生を育て

るハウスを作製し、そこに水道を付けて、採集した実生を栽培しました。

こう書くと、簡単に栽培できたように思うかもしれませんが、野外での観察が不十分であれば、うまく栽培することは難しいでしょう。日本とは土壌《どじょう》や光の条件がまったく違いますし、栽培のテキストがあるわけでもありません。なんといっても、複数の種を同時に栽培するうえで、どれかの種だけがうまく育ち、ほかの種の育成は悪い、という条件にするわけにはいきません。

たとえば土壌ならば、市販の土壌を混ぜ合わせて、同所的に生息している野外の環境と同じような状態を再現する必要があるのです。何度も実験を行うことを可能にするために、同じ質を保証できるような、同じ品番の土壌を一度に大量に購入することも忘れてはいけませんし、混ぜ方や混ぜる手順などを統一することも重要です。

責任をもって自身で考えなければならないことは、ほかにも無数にあります。でも、どのような研究分野であっても、最前線の研究に挑戦《ちょうせん》している人ならば、すべて自分で築き上げていると思います。「そんな回り道をしなくても、先生に聞けばいい」と思う人もいるかもしれません。しかし熱帯の調査地に先生は来ていませんし、図鑑もありません。インターネットにも、もちろん答えはありません。森林の自然に学び、自身で考え抜くしかないのです。

自分の地図で、目的地に到着するのです。

このようにして、栽培した実生を使って、野外で採集した植物アリの新女王アリが、どのオオバギ種の実生を選ぶか実験しました。その結果、成木でみられる本来のパートナー種の実生により多く定着することがわかりました。また、新女王アリが触角《しょっかく》を使って実生表面を何度もふれて、植物の表面の物質を確認する行動が確認できました。この実験によって、新女王アリが、植物表面の物質を手がかりにして、パートナー種の実生に定着していることが明らかになりました。

この時、私は、ある二種のオオバギ種の間では、栽培実験と野外とは異なる結果になることに気がつきました。野外では、オオバギA種にはアリA種が、オオバギB種にはアリB種が定着していたのですが、栽培実験では、オオバギA種にアリB種、オオバギB種にアリA種が定着してしまうことがよくあったのです。

この実験をくり返し行った結果、どちらの新女王アリも、二種のオオバギ種のどちらにも定着してしまうと考えるしかない結果となりました。野外の成木では、間違った相手に定着していることはありません。なぜ栽培実験と野外調査の結果が異なるのでしょうか？

じつは、このオオバギ種のうちの一種は、明るい環境に生息し、もう一種は比較的暗い環境に生息しているのです。つまり、野外では同所的に生息していないオオバギなのです。このことから、おそらく、この新女王アリは、植物の表面の物質だけでなく、野外の光などの条件をも参考にして、共生相手を選択しているのだと考えられました。

相思相愛は、女王の選択だけじゃない？

ここまでは、新女王アリとオオバギの実生を使ったハウス内の実験について述べてきました。しかし、実験と野外の結果が同じとは限りません。ここからは、実際の野外の実生ではどうなっているのか、という疑問に答えたいと思います。

先行研究によって、オオバギの成木にはパートナーの種が定着していることが知られていました。しかし、オオバギの実生については研究がありませんでした。そこで、野外の実生を調査した結果、どのオオバギ種であっても、本来のパートナーのアリ種が一番多く定着していました。ですがその一方で、調査したすべてのオオバギ種で、パートナーではない植物アリ種も定着していることがわかりました。

この事実は、「新女王によるパートナーの選択」というしくみだけでは、成木でみられるような、種特異的な関係を維持することができないことを示しています。新女王アリが定着した後でも、パートナーではない植物アリ種を排除するしくみが働いていなければ、成木にみられるような種間関係は成り立ちません。

次に、パートナーではない植物アリ種を排除するしくみがどのような機構かを明らかにしようと、人工的に共生相手（新女王アリ）を入れ替える実験をハウス内で行いました。その結果、本来の共生相手に比べて、本来の共生相手ではない組み合わせでは、「働きアリの生産が成功する率」と、その後の「アリの巣が維持される率」のいずれも低下することが明らかになりました。

さらに、実験に使った株《かぶ》をハウスから野外に移植したところ、一年以上生存できた株は、本来のパートナー種と組み合わせた株だけでした。それ以外の組み合わせをもった株は、植物を食べる昆虫類などから激しい食害を受けて、死滅《しめつ》してしまったのです。

以上の研究結果から、パートナーではない植物アリ種が定着してしまった株は、複数のしくみが次々に働き、最終的に淘汰《とうた》されてしまうことがわかりました。つまり、このしくみが結果として種特異性を維持する機構として働いていることが明らかとなりました。

また、一見すると、近縁種間であまり変わらないように見えるオオバギ－アリ共生系ですが、実際は、他の種では代理にならない関係であることが、熱帯の生物多様性を支える上で重要な役割をもっと考えられました。

相思相愛が終わる時、始まる時

それでは、種間関係が崩壊するしくみには、どのようなものがあるのでしょうか？

私は、伐採《ばっさい》などがくり返された二次林《にじりん》とよばれる森では、オオバギと共生アリとの種特異性が大幅に崩《くず》れていることを発見しました。

二次林では、形態が本来の共生アリ種と区別できないにもかかわらず、まったくオオバギを防衛しないアリ種を発見しました。このアリ種の遺伝子《いでんし》を解析《かいせき》したところ、共生アリに近縁な、別のアリ種であることが示唆《しさ》されました。この調査に使ったオオバギ種は、原生林だけでなく二次林にも生息できる種で、光の強度が高い二次林では、光合成によってオオバギが自身を守る防衛レベルを上げることが可能で、その結果植物アリの必要性が低下していることが考えられました。

共進化《きょうしんか》で培《つちか》った種特異的な種間関係であっても、状況によっては新しい種間関係が生み出され得ることが肌《はだ》で感じられる調査でした。これを言いかえれば、種間関係の崩壊のしくみは、新たな種間関係を生み出すしくみにもなり得るということです。

しかし、忘れてはならないのは、種間関係の多様性を促進《そくしん》するのは、自然の循環を壊さない小さな環境の変化であり、ヒトが行う開発のような、大規模な森林破壊などの行動は、生物多様性や種間関係の多様性を次々に破壊する行為にほかならないという点です。

オオバギをとりまく、多種多様な昆虫類

ところで、私は何年も森の中でオオバギを観察したので、アリのほかにも多種多様な昆虫類を発見して、飼育してきました。

たとえば、*Macaranga gigantea* という学名のついたオオバギの一種では、アリのパトロールをかいくぐってその葉を食べてしまう植食性のチョウは、それまで報告されていませんでした。ですから、それを最初に見つけた時は、たいへん驚きました。

植食性のチョウの幼虫は、葉を食べるのだからいつも葉についている、というのは思い込みで、じつは、天候や環境など、多様な条件でかなり違います。地道な観察の結果、各オオバギ種に定着しているチョウの幼虫を採集できるようになりました。たくさん飼育して成虫にまで育て、どのグループのチョウなのかも、たしかめました（図２－12）。

飼育といっても、オオバギに特殊化した昆虫の場合はなかなか大変です。なぜなら、特殊

図 2-12　*Macaranga gigantea* に定着していたシジミチョウの標本

化した種の場合、市販の餌《えさ》では成虫まで成長しないことがあるのです。また、同じオオバギ種であっても、植物の状態が、昆虫の希望する状態でなければ——たとえば、どのような環境で育った個体で何枚目の葉っぱか、といったことが生存を左右するのです。ですから、必要な状態のオオバギ個体を、山を歩き回って探す必要があります。しかも、与えた葉は数日で食べ尽くされてしまうため、数日おきに葉を替える必要があります。

チョウを飼育されたことのある方ならご存じでしょうが、大きなドアの音などでも、飼育が失敗する原因となるため、共同生活の場での飼育は工夫する必要があります。このようなわけで、大学の学部・院時代は、一日に二、三回は森に入る、というハードな生活でした。とはいっても、次々と出会う、多くの昆虫類の発見や飼育は本当に楽しいものでした。

植物アリの聡明《そうめい》さ、健気《けなげ》さ

植物アリとほかの生物との関係は、植物に限ったことではありません。じつはオオバギの植物アリは、植物の茎内でカイガラムシとよばれる吸汁性《きゅうじゅうせい》の昆虫を飼育するのですが、カイガラムシの数を増えすぎないように、また一部のカイガラムシの種を排除するなどして、適切にコントロールしています。この植物アリを植物から取り除くと、カイガラムシは急激に増殖して植物表面をおおい、さらに植物を食べる植食性昆虫が植物の葉を食べ、最終的に植物は枯《か》れてしまいます。

植物アリはカイガラムシが生産する糖分を含んだ液体（これを「蜜《みつ》」とよびます）を採って茎内で飼育しているのですが、蜜がほしいばかりに、植物が枯れてしまうほどカイガラムシを増やすようなことはしません。

私は、何万株ものオオバギ植物を各国で観察してきましたが、これまでに、植物の外側までカイガラムシを増やすような植物アリを一度も見たことがありません。自分たちが生活している植物という「環境」から、欲張《よくば》ってより多く搾取《さくしゅ》しようとする共生アリがいないのです。仮にそのような少しだけ欲張りな共生アリが進化したとしても、欲張りな共生アリのせいで植物が弱り、最終的に森林で生き残れないのです。

カイガラムシをこれ以上増やしてはいけない、というポイントを、どのようにアリが決定するのかはなぞですが、自身の環境に不調和を持ち込まないという聡明さを、我々ヒトは学ぶ必要があると思います。

この共生アリは、聡明であるだけでなく非常に健気でもあります。共生する植物が伐採されて倒れても、簡単にはその植物を離れません。同じ道を毎日歩くと、だんだんアリが弱っていくのがわかります。働きアリのスピードが目に見えて遅くなり、よろよろとした足取りになるのです。そんな時、私は「もう、ほかの植物に移って！　あなたたちは十分に頑張った」とアリに向かって叫びたい気持ちになります。

ところが、切り倒された植物が奇跡を起こします。なんと、根が残っている方の、小さな茎の横から新たな茎を作り、また植物アリに住居を提供し始めるのです。

種を超えて、相手への信頼を行動で示す姿を見ていると、なぜ、アリにできる様々なことが、現代の人には難しいのか、考えさせられます。オオバギを伐採した人への怒りにとらわれず、自身がどんどん弱っていきながらも、植物を信じてよろよろとした足取りで黙々と働く共生アリたち。その健気な姿を、想像してほしいのです。

コラム　お茶につく虫たち

農産物には、様々な昆虫がつきます。私はお茶の畑でも研究していますが、お茶にも様々な昆虫がつきます。毎年、同じ虫が流行するわけではないため、事前に立てた研究計画を変更しなければならなくなることもしばしばです。しかし、圃場《ほじょう》での作業は楽しいものです。

現在、日本の慣行農法では、非常にたくさんの種類の農薬を使っていますが、そうなってしまうことの理由の一つに、化学肥料の使用があります。

窒素《ちっそ》やリンなどの化学肥料を与えたお茶の葉は、複数の昆虫にとって食べやすくなり、虫の数が増えてしまうのです。また、化学肥料の与えすぎは、地下水の汚染など環境への負荷も増加させてしまいます。

図2-13　スリランカの無農薬・有機肥料のお茶園でお茶を作っている様子

その一方で、アジア各地には無農薬で、化学肥料を使わない農園も存在しています(図2-13)。

こういった農園を参考に、私たちはもっと、お茶と昆虫たちの声を聞いていく必要があるでしょう。

第３章

敵か、味方か？
関係はフクザツなのだ

アリに攻撃されるテントウムシの成虫（写真：123RF）

敵の敵は友？　寄《き》生《せい》蜂《ほう》と植物の関係
――化学物質を介した相互作用

塩尻かおり

いざ大学院！

「生き物の生き方や行動を調べたい！」と思っていた私は、北海道大学農学部生物資源科学科の卒業研究で、花と花を訪れる昆虫(訪花《ほうか》昆虫)の関係を野外で調べていました。自分で仮説を立てて実験計画を練り、実行して結果を見る毎日はとてもワクワクするものでした。

なので、大学院に進むことに迷いはなかったのですが、どこの大学で？という点で迷っていました。というのも、大学選びでは雪との生活を夢見て北海道に移り住んだのはいいものの、三回目の冬以降は雪が降るとため息がでるようになってしまっていたからです。

そこでふと、予備校で生物を教えてくれていた小《こ》汐《しおち》千春《はる》先生(現在、鳴門《なると》教育大学)の「今後なにかあったら連絡してきてください」という言葉を思い出しました。先生はその当時、京都大学理学部で動物行動を研究されていました。そこで、三年以上たっていたのですが、手紙を出して京都で会うことになりました。私の興味を話したら、私の京都の実家から通える研究室と、教員や大学院生を紹介してくださいました。いくつかの研究室を訪問し、もっとも興味をもった研究をしていた京都大学農学研究科に進学することにしました。

「三者系《さんしゃけい》」って？

その研究室の研究で興味をもった話というのは、植物が虫に食べられると特別な匂《にお》いがでて、その匂いが、その虫を食べる虫を誘引《ゆういん》するという内容でした。つまり植物は、自分の敵のさらにその天敵《てんてき》を匂いによってよび寄せることで、捕食者《ほしょくしゃ》から身を守ってもらっているということです。「なんじゃそれ?!　すごくない?!」と、それに関連する本を数冊読みました。そして、植物と、その植物を食べる虫と、さらにその虫を食べる虫の関係が「三者系」とよばれていることを知りました。

一九八三年にオランダの研究者グループがリママメ（植物）—ハダニ（植食者）—チリカブリダニ（捕食者）の関係を明らかにしたのが始まりです。それまで眼のないチリカブリダニが体長〇・五㎜ほどのハダニをどのように探索しているのかまったくの謎《なぞ》でした。彼らはY字型オルファクトメーターという装置を開発し、チリカブリダニがハダニの被害をうけた植物の

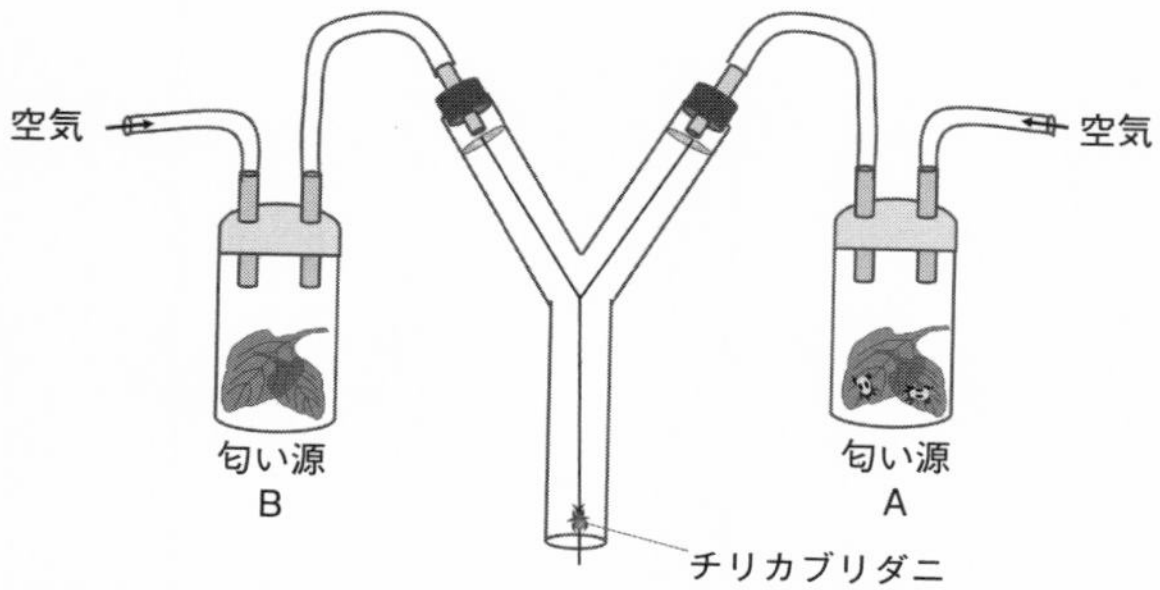

図3-1　Y字型オルフアクトメーター。比較したい匂い源を、ガラスびん(A、B)に入れて空気を一定量で流す。チリカブリダニは、Y字の下側から風上に向かって歩いていく。Y字の二股になるところで、好きな匂いを選ぶことになる

匂いに誘引されることを証明したのです(図3-1)。

ガラスの二方向から別々の匂いを流し、風下からチリカブリダニを歩かせ、どちらに向かっていくかを記録するといったシンプルな実験で、チリカブリダニが好む匂いをしぼりこんでいくのです。こんなにも美しくかつシンプルに物事が明らかにできるのかと感銘《かんめい》を受けたのを今でも覚えています。

そして大学院に入学後、どの三者系を対象とするかを指導教官である高林純示《たかばやしじゅんじ》助教授(現在、教授)と相談したところ、京都工芸繊維大学にイヌガラシ(アブラナ科の野生種)とモンシロチョウ(以降モンシロ)、それに寄生《きせい》するアオムシコマユバチの三者系を研究していた大学院生がおられるとのこと。同じアブラナ科を食するコナガとそのコナガに寄生する蜂《はち》(寄生蜂)を使うことで、モンシロの三者系と比

較することもできます。

また、大学院生にもノウハウを聞けるという理由で、アブラナ科と、アブラナ科を食べるコナガと、その寄生蜂のコナガサムライコマユバチの三者系を研究テーマにすることに決めました。

コナガを取りに行く

研究テーマは決まったのですが、さて、コナガとはどんな虫？　どこにいるの？　どうやって飼うの？　からのスタートです。昆虫少女ではなかった私は、昆虫を専門とした研究室（昆虫研）の人たちが非常にマニアックな会話をしているのを横で聞いて楽しんでいました。

研究室の中でも虫博士とよばれている、超虫マニアな山崎一夫《やまざきかずお》先輩《せんぱい》（現在、大阪健康安全基盤研究所）がいました。彼はどの虫を見せても「あ、それは、○○だね」と誰もが当然知っているかのように答えてくれるのです。

その先輩に、コナガの採集に付き合ってもらうことにしました。先輩の乗るスーパーカブのような原付バイクの後ろから、私も原付バイクで「新聞配達の新入社員のようだなあ」と思いながらついていきます。

ある決まった植物しか食べない動物のことを「スペシャリスト」とよびます(一方で、さまざまな種類の植物を食べる動物は、「ジェネラリスト」とよばれます)。コナガは、幼虫時代はアブラナ科植物しか食べないスペシャリストです。

河川敷の土手で一面に黄色い花をさかせる菜の花のようなセイヨウカラシナはアブラナ科で、ここにターゲットをしぼりました。セイヨウカラシナの黄色とサクラの薄桃色《うすももいろ》の見事な調和に見とれていると、「塩尻さん、これがコナガの幼虫だよ」と、昆虫研が認める虫博士はあっという間にコナガ幼虫を見つけています。

花芽《かが》や新しい葉にいることが多いよというアドバイスのもと、緑色の小さい幼虫を探しました。「いた!」と思ってピンセットで捕《つか》まえようとしても、すばしっこく後ずさりをして逃げられてしまいます。のんびりと逃げようとしない幼虫を見つけて「採れた!」と昆虫博士に見せると「あ、これはモンシロチョウの幼虫だよ」と言われてしまいました。たしかに、よく見るとコナガ幼虫よりも緑が濃く、頭からお尻《しり》までが同じ太さで、コナガとは違うようです。コナガはもう少し薄い緑色で、頭とお尻のあたりがすぼんでいてお尻が割れています。

今では見た瞬間にこれはどっちだと言い当てられますが、その当時はとりあえずさわってみて、すばしっこく逃げるのがコナガ幼虫(図3-2①)、逃げないのんびりしたのがモンシ

図3-2　①コナガ3齢幼虫　②モンシロチョウ2齢幼虫とアオムシサムライコマユバチ　③コナガの繭　④コナガサムライコマユバチの繭(写真：安部順一朗氏)

ロチョウ幼虫(図3－2②)だと判断していました。

サムライコマユバチが出てきた!

採集してきたコナガ幼虫は、通称アイスクリームカップ(直径一〇cm、高さ五cmほど)とよばれる透明な容器内で飼育します。セイヨウカラシナやイヌガラシなどのアブラナ科植物を取ってきて、そこにコナガを五～六匹入れておくと、通常なら五～一〇日後には蛹《さなぎ》になります。

蛹のつくりは、なんでそんな形にしたのかを研究テーマにできるぐらい凝《こ》っていて、蛹本体をおおうようにして網《あみ》が張られます。それはまるで枯《か》れホオズキのようです(図3－2③)。それに遅れること二～三日。こいつは、蛹になる気がないのかなあ？と思っていたコナガ幼虫が干《ひ》からびて死んでいて、代わりに白い繭《まゆ》が一つできています。

よく見るとコナガ幼虫の脇腹《わきばら》あたりに穴が開いています。私のお目当てのコナガサムライコマユバチが、コナガ幼虫から出てきたのです。コマユバチの名の通りカイコのようなきれいな白い繭をつくります(図3－2④)。

その白い繭を見るたび、私は思わず「よし！」と言ってしまいます。というのも、同じコマユバチの仲間でも、モンシロチョウに寄生するアオムシサムライコマユバチは、モンシロチョウ一匹につき二〇匹程度のハチが出てきます。アワヨトウという幼虫に寄生するカリヤコマユバチにいたっては五〇匹以上のハチが一匹のアワヨトウ幼虫から出てくるのですから、簡単にたくさんの寄生蜂が手に入ります。でも私のコナガサムライコマユバチは一匹のコナガ幼虫からたった一匹しか出てこない貴重なコマユバチだったのです。

どんな実験方法？

ある日、指導教官である高林先生が「これ関連する研究やし、読んどいて」と言って、ドサッと論文を私の机に置いて行かれました。中学のときから英語に苦手意識のある私にとって、英語論文を読むのは気合が必要でした。一段落読むたびに一息入れていたのを思い出します。そうしているうちに、単語や専門用語にも慣れてきて、速く読めるようになってきました。それと相関して、論文を読んでいてワクワク感も湧《わ》くようになってきました。

その論文のなかに、アオムシサムライコマユバチの研究がいくつかありました。アオムシサムライコマユバチが、寄主《きしゅ》であるモンシロチョウ幼虫やオオモンシロチョウ幼虫に食べられたアブラナ科植物を好んで選択するというものです。

しかし、それをたしかめた実験方法は様々で、Y字管、風洞《ふうどう》(筒《つつ》状のもので一方から風が流れるしくみ)、選択箱《せんたくばこ》(選ばせるサンプルが二つ配置できるもの)、アリーナ(匂いだけがアリーナ＝円形の床の下から出てきて虫がどの場所にいるかを調べるもの)等、それぞれの研究者が独自に考案したものでした。私は、そのなかで最も安そうで簡単にできそうな、選択箱実験を試してみることにしました。

ハチはどっちを選ぶ？

私は選択箱として、ウンカ・ヨコバイ飼育ケースとして売られているものを使うことにしました。裏面と側面がメッシュで、前面は左右スライド開閉式、大きさも扱いやすさも私の

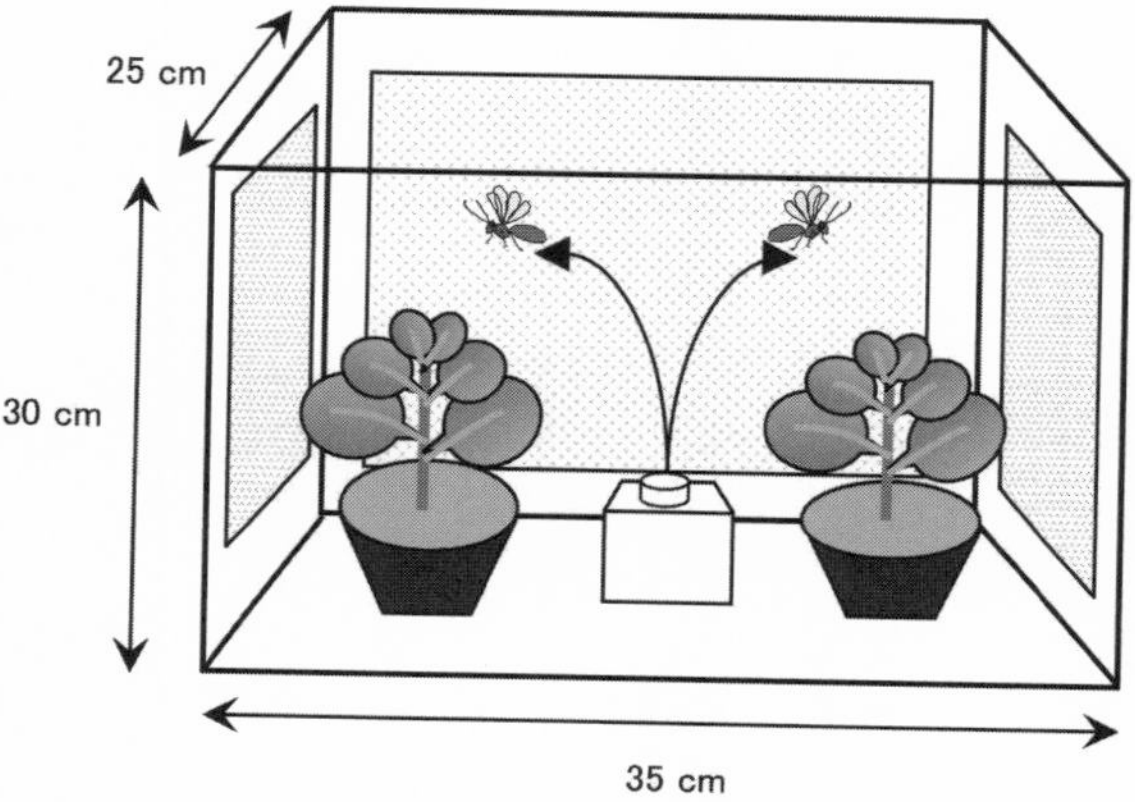

図3-3　選択箱。両側に比較したい株を配置し、真ん中からハチを放す。最初に着地した株をハチは選んだとみなして、選好性を調べる

実験にもってこいでした(図3－3)。

最初はまずこのウンカ・ヨコバイ飼育ケースを使って予備実験です。コナガサムライコマユバチが、コナガに食べられているキャベツと、虫のついていないきれいなキャベツのどちらを選ぶかという実験です。前日に、植物育成室で育ったポット植えのキャベツ株《かぶ》にコナガ幼虫を数匹乗せておくと、翌朝、コナガに食べられていい感じに穴があいているのがわかります。それをウンカ・ヨコバイ飼育ケースの片側に配置し、そしてもう片側にはきれいなキャベツ株を置いて、実験のスタートです。

主役のコナガサムライコマユバチの方も何でもよいというわけではなく、繭をアイ

スクリームカップの中で羽化《うか》させ、交尾《こうび》したメス成虫を一八℃暗室《あんしつ》に入れておいたものを、実験開始一時間前から二五℃の明るい部屋に移動させてスタンバイさせます。最初はジッとして動かなかったハチもしばらくするとせわしなく動き始めます。そのハチの入ったガラス管を二つのキャベツ株の間に入口を上にして置くと、そのうち上にあがっていって飛び立ちます。

飛び立ったハチを目で追うのは至難《しなん》の業《わざ》なのですが、ガラス管からスッと飛び立ったハチは、たいていは天井に止まります。そこで何か考えているかのように触角《しょっかく》を動かしていたかと思うとまた飛び立って、キャベツの周辺を飛び始めます。その飛び方はヘリコプターが空中で一定の場所に留まるホバリングのようです。

そのうち、ハチもこれだ！　と思うのか、スッとキャベツ株に降り立ちます。なかにはガラス管から飛び立たずにガラス管の先でジッと外の様子をうかがっているようなハチもいますが、このようなハチは直接ホバリングに移行してキャベツに着地します。そしてその着地先はというと、ほとんどのコナガサムライコマユバチは期待通りコナガが食べているキャベツの方に行くことがわかりました。

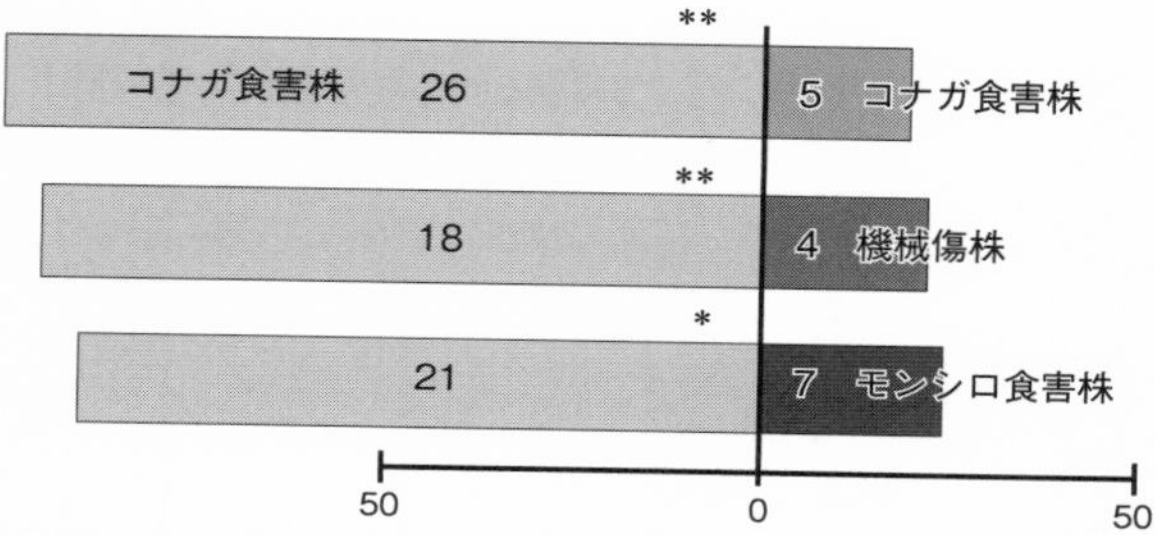

図3-4　コナガサムライコマユバチの選好性。コナガ幼虫が食害したキャベツ株を他のどの株よりも好む

手がかりはナニ？

ではコナガサムライコマユバチは、何を手がかりにコナガが食べているキャベツを選んでいるのでしょうか？　コナガそのものや糞《ふん》などを取り除いたキャベツ株、パンチで穴をあけてコナガの食害をまねたキャベツ株、コマユバチが寄生できない別の虫に食べられたキャベツ株、キャベツを食べないようにコナガ幼虫をシャーレに入れて株元に置いた株など様々な条件のキャベツを用意して、コマユバチがどのキャベツを一番好むのかを調べました。

その結果、コナガ幼虫に食べられたキャベツそのものが一番人気であることがわかりました（図3－4）。さらにこのキャベツ株をメッシュでおおって見えないようにして実験を行いましたが、それでもコナガサムライコマユバチはコナガに食べられたキャベツを好みます。

コナガサムライコマユバチはコナガに食べられたキャベ

ツから出る匂いを感知して、コナガ幼虫を探しているようです。実際、コナガサムライコマユバチはキャベツに着地する前に何かを確認するかのようにホバリングしていました。それはまるでキャベツの周りの匂いを確認しているようです。

「匂い」を分析する

ここからようやく一般の人がもつ、大学や研究機関の実験のイメージただよう実験をすることになりました。キャベツから出る匂いの分析です。キャベツの周囲にある匂いを捕集しガスクロマトグラフ質量分析計(GCMS)という機械で分析します。

匂いの捕集は、大きなガラス瓶《びん》にキャベツ株を入れ、そこにきれいな空気を流し込みます。ビンの中に流し込まれた空気はキャベツの匂いとともに出口に向かい、そこにセットされた吸着剤《きゅうちゃくざい》でキャベツの匂いが捕集されます。

匂いを分析するGCMSは研究室で一番高い機械です。この機械を目にしたとき、「おー、カッコいい」と思いました。いくつかの機械が連動して分析を行うので、スイッチがいくつもあります。なんとかセッティングし、分析のスイッチを押すまでたどり着きました。こわごわスイッチを押すと、なにやらわからないけれど地震のような波形《はけい》が出てきました(図3-

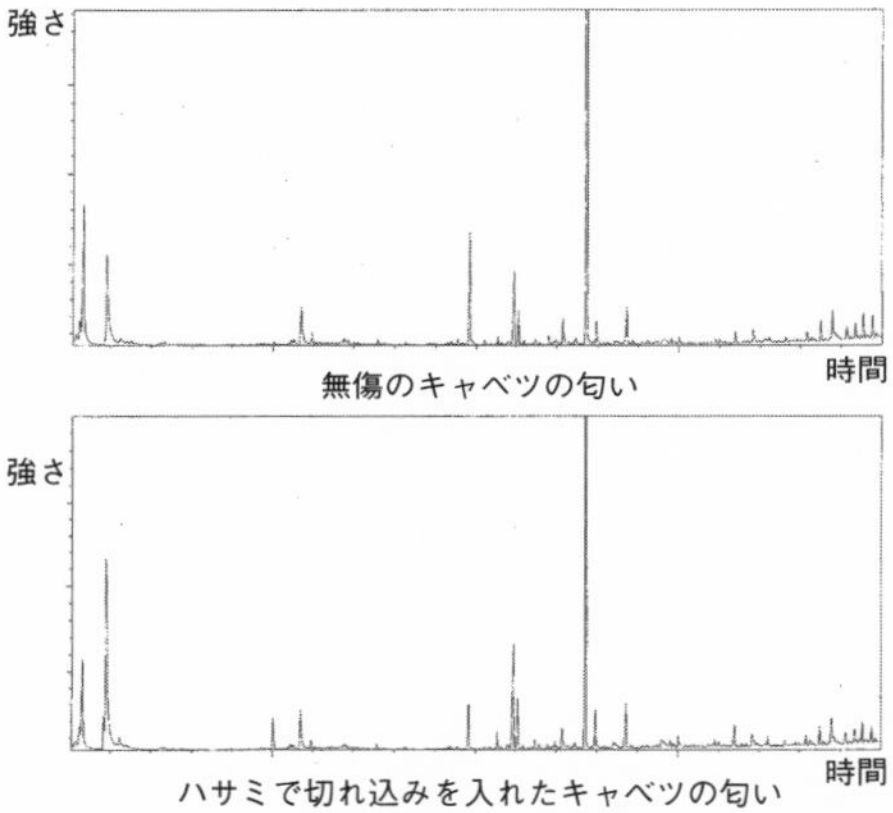

図3-5　ガスクロマトグラフ質量分析計でキャベツの匂いを分析したグラフ。それぞれのピークが一つの匂い成分になる

5)。

このピークがそれぞれ異なる匂い成分で、匂いが多ければピークが高くなります。たとえば、炭素《たんそ》六つが直線につながった青葉《あおば》アルコールや青葉アセテートや、イソプレンを構成単位にしたモノテルペンやセスキテルペンなどが出てきます。それぞれの成分の匂い量を数値化して全体の匂いにおける割合を調べたり、特異的な匂い成分が出ていないかを調べることで、匂いを特徴づけることができます。

スイッチがたくさんついた難しそうな装置を駆使《くし》して専門家しかわからないようなデータを読み取っているのは、昔私がイメージしていた研究者っぽいことなのですが、じつはこういう作業は苦手だなあということに気づいてしまい、今でも苦手意識が強いままです。でも、どんな匂いなのかはとても興味があり、分析中はワクワクしている次第《しだい》です。

匂いブレンド

私の仮説は、コナガサムライコマユバチが匂い情報のみでコナガが食べた株を区別できるのは、キャベツが状況に応じて異なった匂いを出しているのであろうというものです。そこで、健全なキャベツ、コナガに食害されたキャベツ、パンチで穴をあけたキャベツ、モンシロ幼虫に食害されたキャベツの匂いを分析しました。

その結果、なんらかの被害をうけたキャベツは明らかに無被害のキャベツよりもたくさんの匂いを出していて、特に草をちぎったり刈《か》り取《と》ったりしたときに出る「みどりの香り」とよばれる青臭《あおくさ》い匂いがたくさん出ていることがわかりました。

しかし、被害を受けたキャベツであれば、被害の種類にかかわらず出ている匂いは同じでした。ただ、それぞれの成分の比率、つまり匂いのブレンド比が違うのです。

コナガサムライコマユバチはこの微妙なブレンド比の違いをかぎ分け、コナガに食べられたキャベツを選択していると考えられました。人工的に合成した匂い成分を使った実験で、コナガサムライコマユバチは、一つの匂い成分に誘引されるのではなく、いくつかの匂いのブレンドに誘引されることを確認しました。

敵の敵は味方、なのか?

そんなこんなとやっている間に、日本応用動物昆虫学会の参加申し込み期限が迫ってきました。研究室では大学院生は当然発表する雰囲気だったので、私も発表に申し込むことにしました。「学会発表」という響きだけで、大人の一歩を踏み出した気がします。

私の持っているデータは、コナガサムライコマユバチはコナガが食害したキャベツから出される匂いを頼《たよ》りにコナガを探し、その匂いはブレンド比が特異的である、というものです。それをどのようにして一般化し、おもしろいストーリーとして話せるかを考えました。

リママメ—ナミハダニ—チリカブリダニの三者系では、チリカブリダニはナミハダニを餌《えさ》として食べてしまうので、植物にとってはありがたい存在です。また、リママメがナミハダニに食害された時にだけ出す匂いは、チリカブリダニにとって手軽に手に入れられて信頼できる情報となっています。だから、リママメ(植物)がチリカブリダニ(捕食者)をボディーガードとして雇っている、というストーリーが立てられていました。

一方、キャベツ—コナガ—コナガサムライコマユバチの三者系の場合、コナガ幼虫はコナガサムライコマユバチに寄生されてもすぐに死ぬわけではないところが、チリカブリダニの系と大きく異なります。コナガはコマユバチに寄生された後もキャベツを食べ続けるのです。

このような場合でも、コマユバチはキャベツにとってプラスになるのでしょうか？　そこで、私は寄生されたコナガと寄生されていないコナガの摂食量を調べることにしました。すると、寄生されたコナガ幼虫は、手の親指の面積程度、摂食量が減るということがわかりました。少ないと思われるかもしれませんが、コナガは新芽などの成長点を食べます。少しでも食べられる量が減ることは、植物にとって大きな利益となると考えられます。

つまり、コナガの三者系でも、チリカブリダニと同じストーリー展開が可能であることがわかったのです。そこで私は「敵の敵は味方」というタイトルで、発表の講演要旨《ようし》を書きました。もちろん、その講演要旨は数回、指導教員の手直しをうけ、その度に「(修正で)まっ赤《か》っかー」と思いながら書き直していました。

学会での講演はとても緊張しましたが、発表時間の一五分はアッというまでした。そして、講演の後に「あの話、とてもおもしろかったよ」とか、「あれは、こうなんじゃない？　こういう実験をしてみたら？」と他の大学の先生方や研究者から感想やアドバイスをもらい、その後の研究のはげみになりました。

間違いを未然に防ぐ

最初はコナガとモンシロ幼虫の区別さえつかなかった私ですが、さすがに一年も経つと、同じ株に両方の幼虫がいても「これはモンシロ、こっちはコナガ」と、ひと目で簡単に見分けがつくようになりました。

虫博士にはおよばないものの、コナガの専門家として成長したなあと感じる瞬間ですが、そこでふと思いました。私は視覚でコナガとモンシロ幼虫を区別できるけど、匂いでコナガのいるキャベツを認識していたコナガサムライコマユバチはどうしているのだろう？と。

早速、コナガ幼虫とモンシロ幼虫の両種が同じキャベツを食害したときの匂いの分析と、コナガサムライコマユバチの選好性を調べてみました。実験で難しいのは、どういう装置でどういうやり方でするのかという実験設定なのですが、方法はこれまでに確立しているのであとは実行するだけです。

匂いを分析してみると、両種に食害されたキャベツは、コナガ単独のものとモンシロ幼虫単独のものとでは、また違った匂いブレンドを放出していることがわかりました。

次にコナガサムライコマユバチの選択実験です。コマユバチがどのキャベツを選ぶのか？

この予想のつかない実験では、一匹一匹の動きにワクワクしながら、「キミはどっちにいくのだい？」とコマユバチに問いかけながら一匹ずつ放していきます。

その結果、コナガサムライコマユバチは、モンシロ幼虫がコナガ幼虫と同時に食害しているキャベツを選ばないということがわかりました。コナガだけがいるキャベツは匂いで見つけることができるのに、そこにモンシロ幼虫が加わるとそのキャベツを見つけられなくなるのです。さらに実験を重ねると、実際にモンシロ幼虫と一緒に存在しているコナガ幼虫は、コマユバチに発見されずに寄生を免《まぬが》れる確率が高いことがわかりました。

どうやって？　なんのために？

キャベツとコナガとコナガサムライコマユバチの関係が、まったく関係ないモンシロ幼虫が入ることで変わってくるのかあ、と感心しながら、でも、なんでコナガサムライコマユバチはモンシロ幼虫が一緒にいるキャベツを見つけられなくなるのかを考えました。

「なんで？」を考えるときに、気を付けなければならないことがあります。それは、英語でいうとＨｏｗとＷｈｙです。Ｈｏｗは至近要因とよばれる「どうやって？」であり、Ｗｈｙは「なぜ？　なんのために？」を問う究極要因で、これらを区別して解答することが求められます。

どうやって？の答えは、これまでの実験で調べたように、コマユバチは特異的なブレンド比を識別してキャベツを探索しているので、モンシロ幼虫が一緒にいるキャベツの匂いブレンドはコナガ単独の時とは異なり、コマユバチは選択しないという回答になります。

では、究極要因のＷｈｙに対してはどうでしょう？「もしかして、コマユバチは間違ってモンシロ幼虫に産卵するのを避《さ》けているのでは？」と思い、一〇㎝ぐらいのガラス管の中にコナガ幼虫と同じくらいの大きさのモンシロ幼虫を入れて、コナガサムライコマユバチに与えてみました。すると、コマユバチはモンシロ幼虫にふれるとすぐに産卵管を刺《さ》すではありませんか。

コナガサムライコマユバチはモンシロ幼虫とコナガ幼虫を見分けられずに、間違ってモンシロ幼虫に卵を産んでしまうのです。モンシロ幼虫に産み付けられたコマユバチの卵は、モンシロ幼虫体内では異物として認められ殺されてしまいます。

つまり、このような間違い産卵を避けるため、コマユバチはその前のキャベツ選びの段階で、モンシロ幼虫がいるキャベツを選ばないように行動していたと考えると納得がいきます。これが両種の食害した株を選ばない究極要因の一つではないかと私は考えています。

母親の選択

自分が母親になった今は特に感じますが、子どもが成長する環境って重要です。これは、ヒトじゃなくても昆虫でも植物でも同じです。そのために、母親は子どもが安全安心な場所でうまく成長するような環境を選ぶべきです。

ここで、コナガの母親（メス成虫）になった気分で考えてみてください。あなたは、子どもの餌となるキャベツ畑に卵を産みにやってきました。そこには、誰にも食べられていないきれいなキャベツ株、別のコナガが生んだコナガ幼虫がすでに食べ始めているキャベツ、モンシロ幼虫に食べられている株、他の虫に食べられている株、病気にかかっている株など様々あります。あなたなら、その中からどこに産卵しますか？　誰も食べていないきれいなキャベツが子供の成長のためには良さそうな気がしますが、実際はそう単純ではありません。

コナガ幼虫やモンシロ幼虫に食べられたキャベツをコナガのメス成虫に提示《ていじ》し、翌日、それぞれの株に産卵されたコナガの卵の数をカウントしてみました。すると、コナガはモンシロ幼虫が食害したキャベツ株に好んで卵を産んでいました。きれいなキャベツはコナガ幼虫が食べることで、寄生蜂のコマユバチに見つかりやすくなってしまいますが、モンシロ幼虫がいるキャベツを選ぶことで、コマユバチの探索から逃れられるようになるのです。

モンシロ幼虫が食べていることでコナガ幼虫がこうむる不利益として、餌不足と葉の質の低下が考えられますが、それを調べた結果からもそのような不利益は小さいことがわかりました。また、もしその不利益があったとしても、モンシロ幼虫がいるキャベツを選ぶということは、それほど寄生蜂から逃げる利益が大きいのだと考えられます。

私はコナガの卵を数えて、コナガメス成虫の巧みな戦略を知ったとき、「コナガ、すごい！　賢《かしこ》い！」と感心しすぎて、コナガを愛おしく思ったほどでした。

フクザツ化する関係

この匂いを介した複雑な関係をまとめてみましょう（図3-6）。キャベツはコナガ幼虫に食べられると匂いを出します。その匂いは独特なブレンドで、コナガ幼虫の寄生蜂であるコナガサムライコマユバチを誘引します。コナガサムライコマユバチは独特の匂いブレンドを手がかりに、コナガ幼虫を見つけて産卵することができ、キャベツは匂いを出すことでコナガ幼虫が寄生されやすくするという、いわば匂いを介した共生関係にあるといえます。

しかし、ここにモンシロ幼虫が加わるとキャベツの出す匂いが変わり、この共生関係が崩《くず》

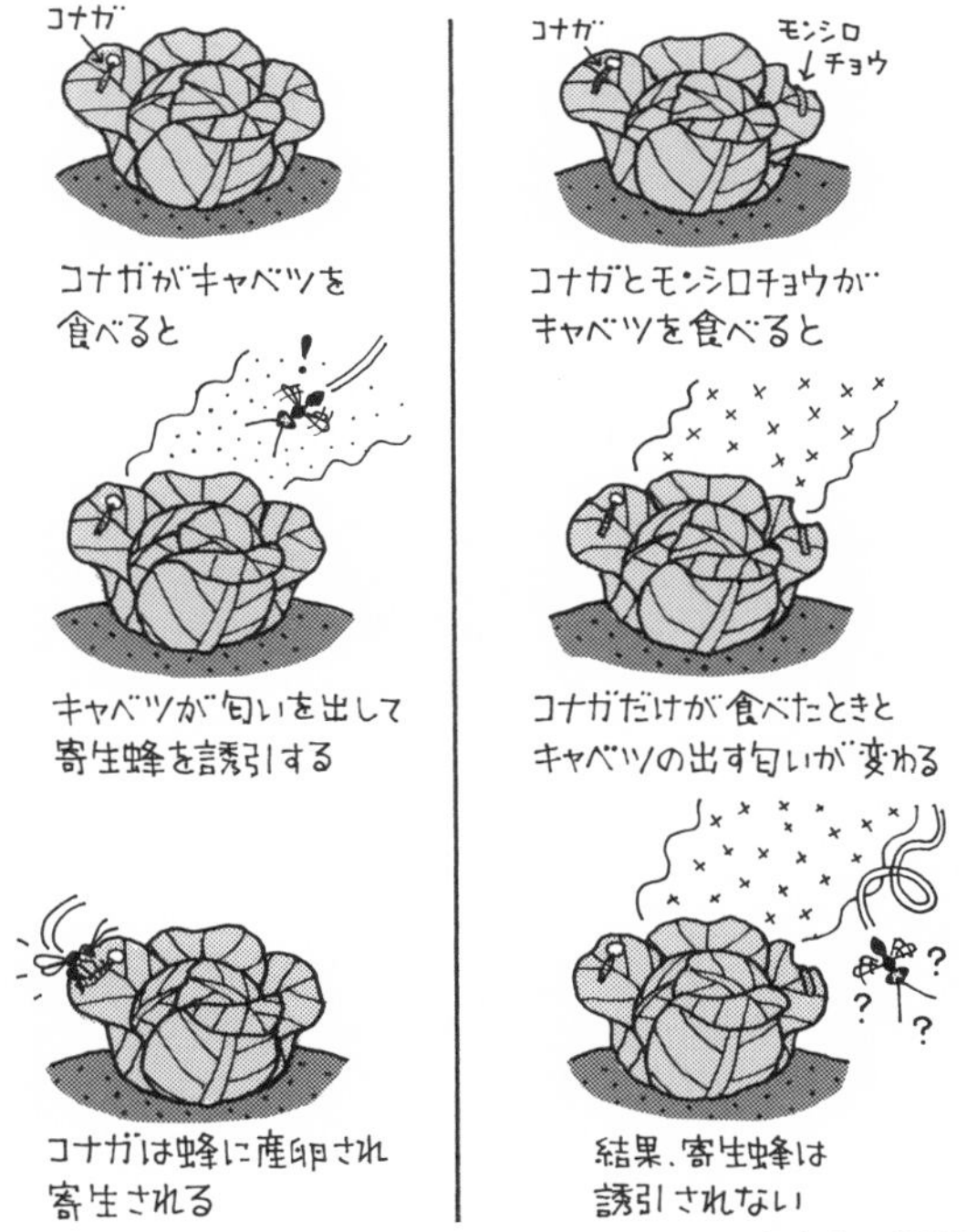
コナガ
コナガがキャベツを
食べると
キャベツが匂いを出して
寄生蜂を誘引する
コナガは蜂に産卵され
寄生される
コナガ
モンシロ
チョウ
コナガとモンシロチョウが
キャベツを食べると
コナガだけが食べたときと
キャベツの出す匂いが変わる
?
?
?
結果、寄生蜂は
誘引されない

図 3-6　キャベツ、コナガ、モンシロチョウ、寄生蜂の関係

れてしまいます。そして、そこをねらってコナガの母親は産卵をするのです。

　これまで、モンシロ幼虫とコナガ幼虫は同じ植物を利用するので、餌をめぐるライバルだと見られてきました。しかし、じつはコナガにとってモンシロ幼虫は匂いの隠《かく》れみのを作り出してくれる頼れる存在であったのです。

　私はこの一連の研究を通じて、登場人物が増えるとそれだけ関係性は複雑になるだけでなく、これまであった関係性も変わってくる人社会と同じなんだと、自然界のシステムをとても身近に親身に感じたのでありました。

コラム　匂いで昼夜を知るアワヨトウ

みなさんは、昼夜をどうやって感じていますか？　朝の光を浴びると自然に目覚めるように、私たちは光で昼夜を感じています。ところが、光ではなく匂いで昼夜を感じている生物がいます。アワヨトウ(粟夜盗)――その名の通り、粟《あわ》などのイネ科作物を一夜にして丸裸にして、朝には姿を隠す夜行性の害虫です(図3－7)。

私がアワヨトウの不思議に気づいたのは、大量のアワヨトウ幼虫の世話を昼間に行っていた時でした。夜行性のはずのアワヨトウ幼虫が、実験室の明るい光の下で元気に餌を食べているのです。彼らはいったいどうやって昼夜を判別しているのでしょうか？

そこで私は、大食いのアワヨトウに与える人工飼料が彼らの昼夜判別を狂《くる》わせている原因ではないかと考え、本来の餌であるトウモロコシの葉を与えてみました。するとどうでしょう。幼虫は食べるのをやめ、物陰《ものかげ》に隠れているではありませんか！

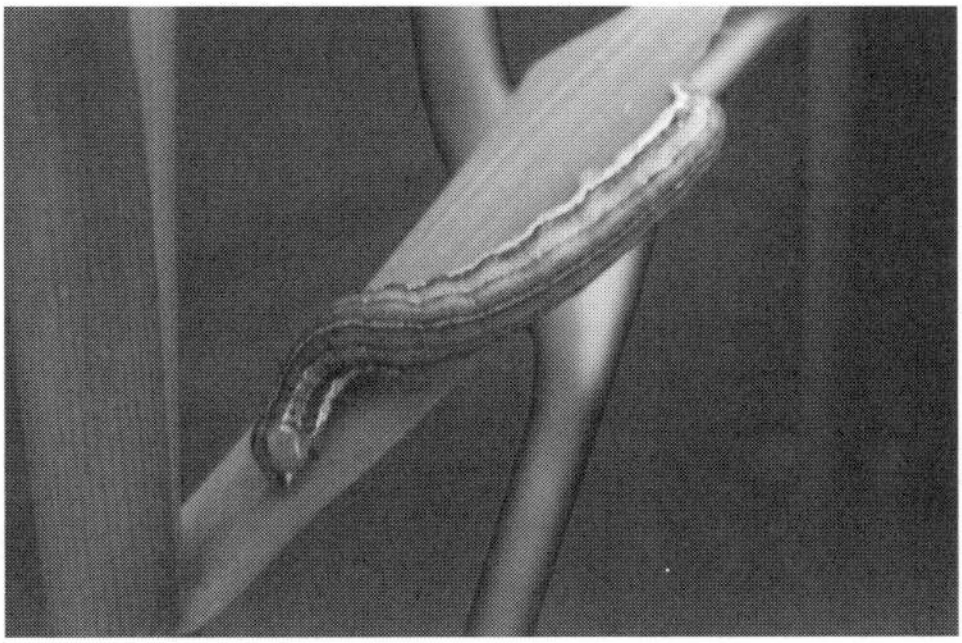

図 3-7　アワヨトウの幼虫

様々な実験と化学分析の結果、植物は明るさによって出す匂いが異なり、アワヨトウはその匂いで行動を変えることがわかりました。

つまり、植物が光を感知するセンサーとして働き、アワヨトウ幼虫はそのセンサーからの信号を匂いとして受け取り昼間を判別していたのです。なんだか、まわりくどい判断の仕方です。どうして、このようなまわりくどいことをしているのかを、アワヨトウに直接きいてみたいところです。

敵を味方に！　敵の敵は味方？

――アリを恐れないアブラムシの天敵《てんてき》たち

金子修治

ミカン園の出会い

今から二五年ほど前の、初夏。私はミカンの木の新芽に、ワタアブラムシというアブラムシがたくさんいるのを見つけました。そのアブラムシの集団には、トビイロケアリというアリが、これもたくさん群がっていました。そして、このアブラムシやアリたちの間を一㎜くらいの小さな虫が、とてもいそがしそうに動いていました。

じっくり観察してみると、この小さな虫はハチの仲間でした。そしてこのハチは、アブラムシの集団のなかをアリに見つからないように「ちょこまか」と走り回りながら、たくさんのアブラムシに卵を産みつけていました。たまにアリに見つかって嚙《か》みつかれそうになりましたが、とっさに飛び立って、なんとかその攻撃をかわしました。そう、このハチはアリに捕《つか》まらないよう、まさに命がけで産卵していたのです。

これを見たとき、私は胸がおどりました。多くの生物学の教科書には、「アブラムシとアリは共生《きょうせい》関係をもち、アブラムシは甘露《かんろ》という栄養物をアリに与えて、アリはその見返りにアブラムシを天敵から守る」と書いています。つまり、アリがいたらアブラムシの天敵は追い払われて、アブラムシには近づけないはずです。

でも、この小さなハチは、アリが守っているにもかかわらず、多くのアブラムシに卵を産みつけている。私は「このハチ、すごいなぁ。やるなぁ」と感動し、このハチとアリとの関係について研究することに決めました。

共生は、おトク？

まず、アブラムシとアリとの共生関係についてすこし説明します。アブラムシとは、植物の新芽や葉、枝や幹、根などからその汁《しる》(師管液)を吸う、数㎜程度の小さな昆虫です。一部の季節を除いて、メス成虫が卵ではなく直接幼虫を産みます。しかも幼虫の成長がとても速く、気温によって変わるものの一週間から一〇日程度で成虫になるため、急激に数が増えます。一般的に、メス成虫とその子供たちからなる「コロニー」とよばれる集団を作ります。

アブラムシの仲間には、アリと共生関係をもつ種が多くいます。生物学でいう「共生」とは、異なる二種の生物が単にいっしょに生活しているだけではなく、それによってお互いが利益を得る関係のことです。このため、「相利共生《そうりきょうせい》」ともよばれます。それぞれの種の生物が得る利益には、その生存率（生きのびる確率）の向上や子供の数の増加などがあげられます。

アブラムシとアリとの共生関係では、アブラムシが、多くの糖分や少量のアミノ酸などを含んだ「甘露」という液体状の排せつ物（オシッコのようなもの）をアリに与えます。この甘露は、働きアリの活動エネルギーやアリ幼虫の成長などに利用されます。

一方、アリは、葉の上に落ちた甘露やアブラムシの脱皮殻《だっぴがら》も集めて、アブラムシのコロニーをお掃除します。これによってカビの発生を防ぎ、アブラムシが病気にならないようにします。また、アリは、アブラムシを食べようとするテントウムシなどの天敵を攻撃して追い払い、アブラムシを保護します（本章扉絵）。

このようにアリがアブラムシのそばに付き添って、お掃除をしたり、天敵から守ったりすることは「随伴《ずいはん》」とよばれます。日本では、トビイロケアリ、アミメアリ、トビイロシワアリなどがさまざまなアブラムシに随伴します。このアリの随伴によって、アブラムシはより多くが生き残り、より多くの子供を産むため、そのコロニーはより大きくなります。

例外がいっぱい

ここからは、アリによる天敵の排除について、もうすこし具体的に説明します。アブラムシに随伴しているアリは、アブラムシのコロニーに近づこうとするナミテントウ（第1章で紹介）の成虫や幼虫を発見すると、脚《あし》や体に大あごで嚙みついたり、腹部の先端から毒針《どくばり》を出して刺《さ》したり、同じく腹部先端から毒液を噴射《ふんしゃ》したりして、激しく攻撃を加えます。

攻撃されたナミテントウの幼虫は走って逃げたり、植物から落下したりします。時には、アリに捕まって食べられてしまうこともあります。ナミテントウの成虫もアリに攻撃されると、走ったり、落下したり、時には飛んだりしてアリから逃げます。ナナホシテントウ、ヒメカメノコテントウ、ダンダラテントウなども激しく攻撃され排除されます。

しかし、はじめに紹介した小さなハチは、アリがいるにもかかわらず、その防衛をかいくぐってアブラムシを利用していました。私は、こんなスゴイ天敵がほかにもいるのか気になったので、これまでの研究について文献を調べてみました。

すると、アリが守っているにもかかわらず、アブラムシを捕まえて食べたり、それに卵を産みつけたりできる天敵は世界中に何種もいることがわかりました。しかもアリとの遭遇《そうぐう》や攻撃に対処する方法は、天敵の種によってさまざまでした。

つまり、アリによる天敵の排除には、多くの例外があることがわかりました。私自身も、その後のミカン園での研究のなかで、アリがいてもアブラムシを利用できる天敵にたくさん出会うことになります。

本稿では、はじめにお話しした小さなハチを中心に、私が研究したアリを恐れないアブラムシの天敵たちについて紹介します。とりわけ、彼らがどのような方法や行動でアリに対処しているのか、さらに、アリやほかの昆虫たちとどのような関係にあるのか、お話ししましょう。

ちょこまか作戦

最初に紹介した小さなハチについて文献等を調べてみると、ニホンアブラバチという寄生《きせい》蜂《ほう》の一種とわかりました(図3-8)。見かけはジミですが、名前に「ニホン」がついているのは、日本代表みたいでちょっとカッコイイです。なお、寄生蜂とは、その幼虫が昆虫やクモ類に寄生して餌《えさ》として利用しながら成長し、最終的にはそれらを殺して成虫になる蜂《はち》の仲間です。また、寄生される側の生物は「寄主《きしゅ》」とよばれます。

ニホンアブラバチは、日本ではごく普通に見かける種で、ワタアブラムシのほか、ユキヤナギアブラムシ、ミカンクロアブラムシなどを寄主として利用することが知られています。

本種のメス成虫は、アブラムシの体のなかに一個の卵を産みつけます。卵から孵化《ふか》した幼虫は、アブラムシの体内でその組織や器官を食べて成長します。幼虫ははじめのうち、アブラムシの体脂肪《たいしぼう》や生殖器官《せいしょくきかん》など生存にはあまり影響のない部分を食べているため、アブラムシは生き続けます。しかしその幼虫が大きくなり、アブラムシの消化器官などを食べるようになると、アブラムシは死んでしまいます。

図3-8　ニホンアブラバチのメス成虫

最終的には、本種の幼虫はアブラムシの体表皮《たいひょうひ》だけを残して体内組織を食べつくし、その体表皮を内側から硬化《こうか》させて蛹《さなぎ》になります。この体表皮が硬《かた》くなったアブラムシは「マミー（mummy）」とよばれます。mummyとは英語でミイラという意味です。そして、マミーのなかで蛹から羽化《うか》した本種の成虫は、マミーの内側から円形の穴を開けて外に出ていきます。本種の場合、卵から成虫までの期間は、気温によって変わるものの一一〜一七日程度です。

あらためて私は、トビイロケアリが随伴するワタアブラムシのコロニーで、ニホンアブラバチのメス成虫の行動をじっくりと観察してみることにしました。

するとやはり、メス成虫はアリの攻撃を受けないように、前もって行動していることがわかりました。メス成虫は近づいて来るアリに気づいたら素早く後ずさりして、アリの視界に入らないようにしました。また、甘露を集めているアリをさけながら頻繁《ひんぱん》に方向転換しつつ早足で移動し、素早くアリの背後に回っては、その目をぬすんでアブラムシに産卵しました。その際、メス成虫は、腹部の先端を前方のアブラムシに向けて一八〇度曲げ、先端から産卵管を伸ばしてそれに突き刺し、一瞬(一〜二秒)で卵を産みつけました。メス成虫はこれら一連の行動をくり返しながら、たくさんのアブラムシに産卵しました。その結果、アリが随伴するアブラムシコロニーでは、多くのマミーができました。

一方、アリはニホンアブラバチのメス成虫を見つけると、噛みつこうと攻撃しました。しかし、メス成虫は瞬間的に反応し、走ったり飛び立ったりして、その攻撃をうまくかわしました。ただ、非常にまれですが、アリに捕まって殺されてしまうこともありました。このことから、本種のメス成虫にとって、アリはとても怖い存在であるのは間違いないようです。

このように、ニホンアブラバチのメス成虫はアブラムシコロニーのなかを素早く「ちょこまか」と動き回ることによってアリからの発見と攻撃を事前に回避《かいひ》し、加えてアブラムシに一瞬で産卵することで、アリが守っていてもアブラムシを利用できることがわかりました。

この「ちょこまか作戦」は、アリの動きを正確にとらえる優れた視力、アリとの遭遇を回避し続けるための走力、とっさの攻撃をかわす瞬発力《しゅんぱつりょく》、極めて短時間の産卵行動などをかね備えた、本種だからこそ実行できる戦術です。これらの特性は、アリが守っているアブラムシを利用するために、長い時間のなかで本種が進化させてきたものと私は考えています。

七人の敵

「男は敷居《しきい》をまたげば七人の敵あり」は、男性は家の外、つまり社会で働いたり活動したりするときは、いつも多くの敵に囲まれているという古いたとえです。もちろん、これは女性も同じです。人によって「敵」が誰かは異なりますが、勤める会社の上司や同僚《どうりょう》、部下、さらにはライバル会社の社員などが挙げられるでしょう。

ニホンアブラバチにもさまざまな「敵」がいます。前項で紹介したように、産卵活動中のメス成虫を攻撃するアリもそのひとつです。一方、本種の幼虫や蛹も、さまざまな天敵からねらわれます。

その天敵のひとつは、二次寄生蜂とよばれるグループです。二次寄生蜂は寄生蜂を攻撃する寄生蜂で、寄生蜂の幼虫や蛹を食べて成長し成虫になります。この場合、攻撃を受ける側の寄生蜂は一次寄生蜂とよばれます。アブラムシの二次寄生蜂は、トビコバチ類、ヒメコバチ類、コガネコバチ類、ヒメタマバチ類、オオモンクロバチ類など多数います。

一方、ナミテントウなどのアブラムシの捕食者《ほしょくしゃ》(動物を捕まえて食べる動物のこと)は、アブラムシを食べることによってアブラバチ幼虫の餌(寄主)の数を減らすことから、アブラバチと餌をうばい合う「競争的な」関係にあります。

しかし、アブラムシの捕食者は、「アブラバチの捕食者」にもなります。たとえばナミテントウは、アブラムシの体内に寄生しているアブラバチの卵や幼虫をアブラムシごと食べてしまいます。また、マミーとなったアブラムシの体表皮を食いやぶり、そのなかにいるアブラバチの蛹を食べます。アブラムシの捕食者であるクサカゲロウの幼虫は、その長く曲がった大あごをマミーの外側からアブラバチの蛹に突き刺し、体液を吸い取って殺します。

このようなアブラバチの卵や幼虫、蛹に対する捕食は「ギルド内捕食」とよばれます。「ギルド内捕食」とは、同じ餌を利用する競争者の間で起こる捕食のことです。すなわち、ニホンアブラバチにとってアブラムシの捕食者は、競争者であり捕食者でもあるのです。

ここまでお話ししたとおり、ニホンアブラバチの卵や幼虫、蛹はさまざまな天敵に囲まれていて、成虫になるためにはこれらの天敵の攻撃をくぐり抜ける必要があります。つまりニホンアブラバチにとっては、メス成虫の産卵をじゃまするアリだけが「敵」ではないのです。

しかしながら、じつは、メス成虫にとっての「敵」であるアリが、アブラバチ幼虫の生存にとって非常に重要な役割を果たすのです。このことを次の項で紹介したいと思います。

敵の敵は、味方？

ニホンアブラバチの幼虫の敵である二次寄生蜂やアブラムシ捕食者にも敵がいます。それは、アリです。

アブラムシに随伴しているアリを観察したところ、二次寄生蜂のメス成虫も頻繁に攻撃し、その産卵を妨害しました。アリは、アブラムシに近づく動物は何でも排除しようとします。

二次寄生蜂のメス成虫は産卵に時間がかかります。これは、アブラムシの体内にいるアブラバチ幼虫を探し出して卵を産みつけたり、硬くなったアブラムシのマミーに産卵管を突き通したりしなければならないためです。このため、産卵中の二次寄生蜂のメス成虫は、アリに見つかりやすく、攻撃されやすいのです。

産卵中にアリに攻撃されたメス成虫は素早く飛んで逃げ去りましたが、まれに捕まることもありました。また、メス成虫は、アブラバチに寄生されたアブラムシを探しながら歩いている際にも攻撃されました。このような二次寄生蜂のメス成虫に対するアリの攻撃をアブラムシの天敵どうしの関係に加えると、図3-9のようになります。

私は、これらの観察から、アブラムシに随伴しているアリは、ニホンアブラバチの幼虫に対する二次寄生蜂メス成虫の産卵を少なくしているのではないかという仮説をたてました。つまり、ニホンアブラバチの幼虫にとって、アリは自身を二次寄生蜂による寄生から守ってくれる「味方」ではないか、というわけです。

この「味方」仮説を検証するため、ミカンの新芽上のアブラムシコロニーにアリをしばらくの間随伴させ、ニホンアブラバチの幼虫に寄生されたアブラムシが増えてきた頃にアリを排除しました。そして、アリを随伴させ続けたアブラムシコロニーと比較しました。

その結果、予想したとおり、アリを排除したアブラムシコロニーでは、アリが随伴し続けたコロニーと比べて、アブラバチ幼虫に対する二次寄生蜂の寄生が格段に多くなりました。やはり、二次寄生蜂のメス成虫は、アリがいないと、妨害されることなく自由に産卵できるのでしょう。この結果から、アリはアブラバチ幼虫を二次寄生蜂の攻撃から守る働きをして

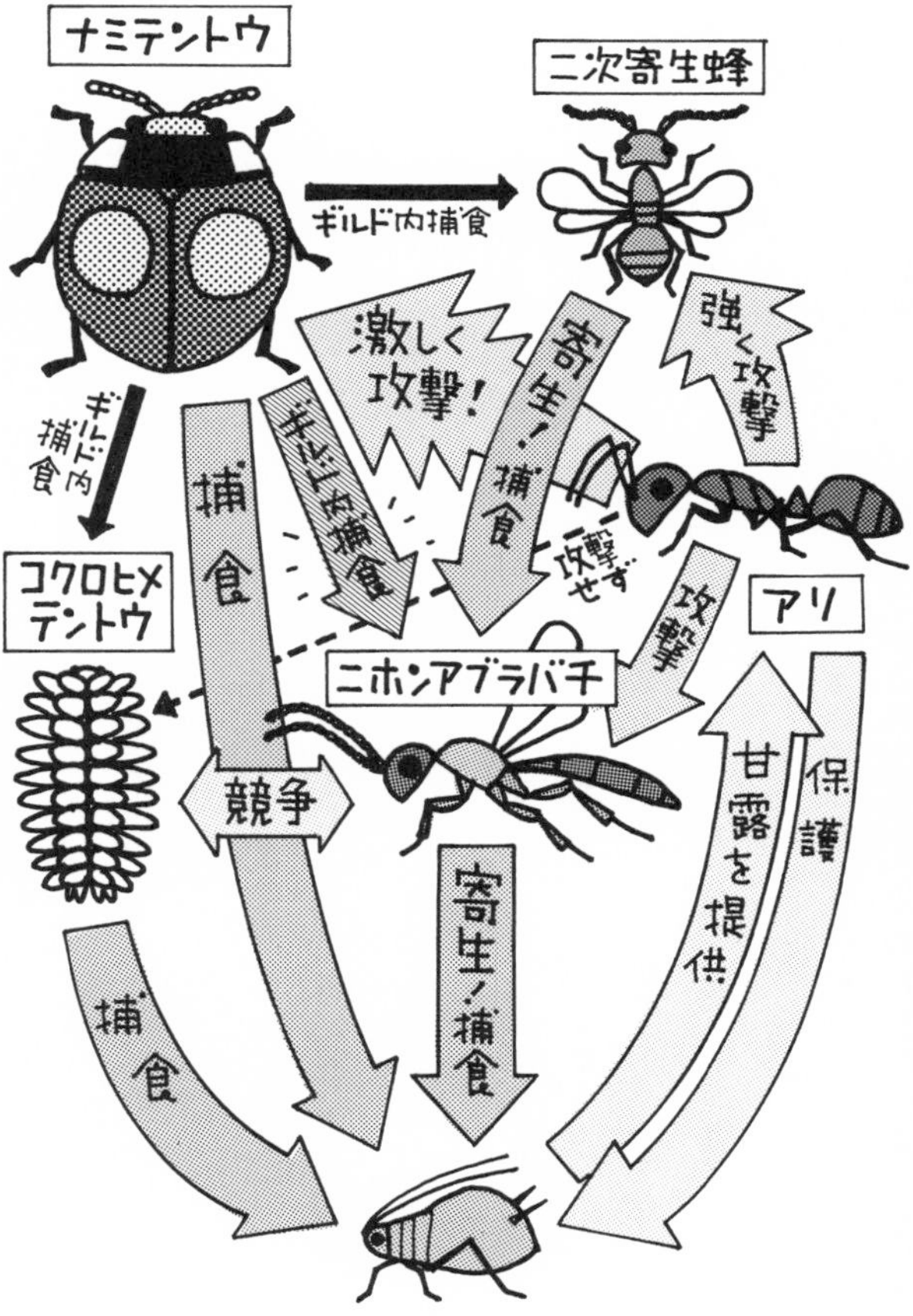

図3-9　アブラムシをめぐるアリとニホンアブラバチと二次寄生蜂と捕食者の関係。アリから各天敵に伸びる矢印の太さは、アリからの攻撃の強さを表す

いるという仮説が支持されました。つまり、アブラバチ幼虫にとってアリは「味方」として作用していることが明らかになったのです。

この状況を簡単にまとめると、アブラバチ幼虫にとって二次寄生蜂は「敵」であり、その二次寄生蜂の「敵」であるアリは、アブラバチ幼虫にとって「味方」というわけです。これは、いわゆる「敵の敵は味方」という間接的な関係を示しています。

アリによるアブラバチ幼虫の保護は、アブラムシの捕食者に対しても作用します。前にお話ししたように、アリはナミテントウなどのアブラムシ捕食者を激しく攻撃し、追い払います。

この捕食者に対するアリの攻撃をアブラムシ天敵どうしの関係に加えると、図3－9のようになります。この攻撃による排除の結果、アリがいると、アブラムシに対する捕食だけではなくアブラバチ幼虫に対する捕食(ギルド内捕食)も少なくなると考えられます。実際、アブラムシコロニーからアリを排除すると、捕食者が多数やってきて、アブラバチ幼虫に対する捕食が増加しました。

このような「敵の敵は味方」という間接的な関係がみられる理由として、ニホンアブラバチが多くの敵に囲まれており、しかもその敵どうしが敵対関係にあることが挙げられます。

つまり、たくさんの敵がいても敵どうしが争っている状況であれば、その敵のひとつは間接的には味方となることがあるのです。「敵の敵は味方」は古来より国どうしの関係ではよくあることで、また、みなさんの身近な人間関係にも見つかるかもしれません。

敵だが味方！　結局は？

ここまでの話をまとめると、ニホンアブラバチにとってアリは、直接的にはメス成虫の産卵を妨害する「敵」ですが、同時に、間接的にはその幼虫を二次寄生蜂や捕食者から守ってくれる「味方」でもあるのです。では、「総合的」には、敵、味方、どちらなのでしょうか？

ある種の生物が別の種の生物から受ける影響を評価する際には、その種の個体の数を指標として用います。そして、ある種の個体数を別の種がいる場合といない場合とで比較し、その違いに基づいて判断します。

今回の「敵か、味方か」の評価では、あるAという種の個体数が、別のBという種がいる場合の方がいない場合よりも多くなるなら、種Aにとって種Bは「味方」、逆に種Aの個体数は種Bがいる方が少なくなるなら、種Aにとって種Bは「敵」とします(図3－10)。

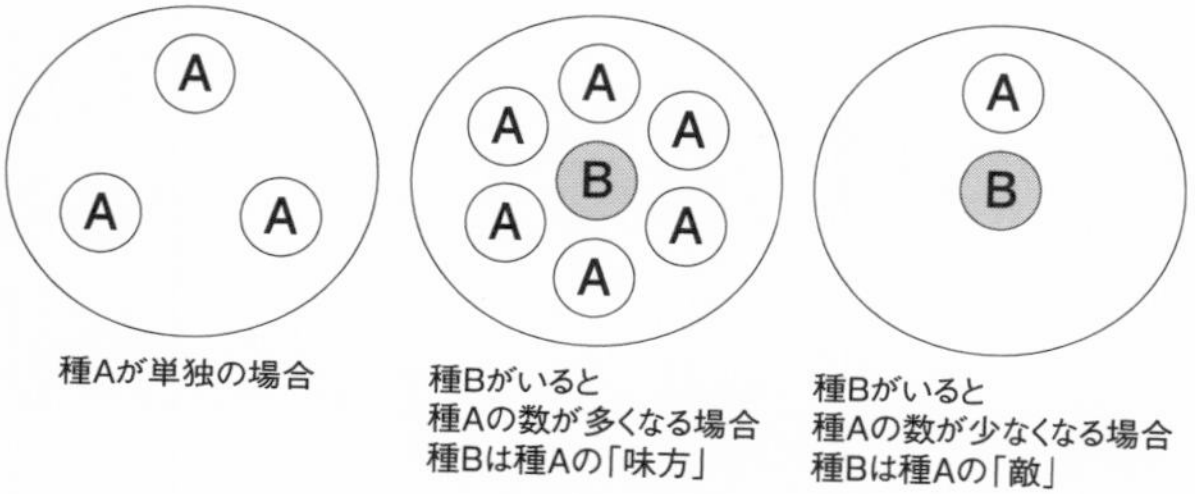
A
A
A
A
A
A
B
A
A
A
A
B
種Aが単独の場合
種Bがいると
種Aの数が多くなる場合
種Bは種Aの「味方」
種Bがいると
種Aの数が少なくなる場合
種Bは種Aの「敵」

図 3-10　種Ａと種Ｂの関係

ニホンアブラバチとアリとの関係では、アブラムシコロニーにおいて羽化したニホンアブラバチの成虫の個体数を指標として用いることとしました。つまり、産卵しているニホンアブラバチのメス成虫の次世代(子供の世代)の成虫個体数で判断するというわけです。そして、ミカン園において、ニホンアブラバチの羽化成虫の個体数について、アリを排除したアブラムシコロニーとアリが随伴しているアブラムシコロニーとで比較する実験を行いました。

まず、アリを排除したコロニーでは、ナミテントウなどの捕食者が多数やって来てアブラムシをたくさん食べ、その数を急激に減らしました。ニホンアブラバチのメス成虫は、アリがいないため自由にアブラムシに産卵しました。

しかし、アブラムシの体内に寄生しているアブラバチの幼虫は捕食者にアブラムシごと食べられ、また、マミーのなかのアブラバチの蛹も食べられてしまいました。さらに、捕食をまぬがれたわずかなアブラバチ幼虫や蛹も二次寄生蜂に寄生されたため、アブラバチの成虫はほとんど羽化しませんでした。

一方、アリが随伴しているコロニーでは、捕食者は排除されたため、アブラムシは食べられることなく、その数は増えていきました。このため、アブラバチ幼虫の餌(寄主)はたくさんありました。ニホンアブラバチのメス成虫はアリとの遭遇をたくみにさけながらアブラムシに産卵し続けたため、多数のアブラムシにアブラバチ幼虫が寄生し、マミーがたくさんできました。さらに、アブラムシの体内にいるアブラバチ幼虫やマミーのなかのアブラバチの蛹は、アリによって二次寄生蜂や捕食者から守られたため、その多くが生きのびて、多数の成虫が羽化しました。

このように、アリがいるアブラムシコロニーでは、アリがいないコロニーと比べて、圧倒的により多くのニホンアブラバチの成虫が羽化しました。この結果から、ニホンアブラバチにとってアリは、「総合的」には「味方」として作用していると考えられました。

その理由は次のようにまとめられるでしょう。ニホンアブラバチにとってアリは、捕食者の排除を通じてアブラバチ幼虫の餌(寄主)となるアブラムシを多数提供し、さらにアブラバチ幼虫や蛹を二次寄生蜂や捕食者から保護することによって、間接的に「味方」として働いています。一方、ニホンアブラバチのメス成虫はアリの攻撃をさけながらアブラムシに産卵できるため、アリの直接的な「敵」としての作用はそれほど大きくありません。このため、間接的な「味方」としての作用が、直接的な「敵」としての作用を相対的に上回ることとなり、「総合的には味方」として作用していると考えられます。

なお、産卵活動を行っているニホンアブラバチのメス成虫は、アリがいないアブラムシコロニーと比べて、アリが随伴しているコロニーでより頻繁に観察されました。メス成虫は、アリがいるコロニーの方がアリによる捕食者や二次寄生蜂の排除を通じてより多くの子供を残せることから、そこをより好んで訪れているのかもしれません。

夏休みの自由研究

ニホンアブラバチについて、ここまでに紹介したようないろいろなことがわかってきた頃のこと、私の勤めていた研究所の大先輩《せんぱい》から「あなたのアブラバチとアリの研究は、小学生の夏休みの自由研究みたいだね」と言われました。その時私は三〇歳手前で、小学生あつかいされたことにすこし不満を感じました。

しかし今になって思うと、この大先輩の一言は、「あなたの研究は、〝子供のように〟、それが何の役に立つかなど気にもせず、純粋な好奇心に突き動かされ、これまでの考えにとらわれない自由な発想で解き明かしたもの」という最高のほめ言葉だったのかもしれません。

そういえば、この研究に取り組んでいた頃は、毎日がとても楽しく、ワクワクして、野外観察や実験のために汗びっしょりで動き回って、まるで小学生の時の夏休みみたいでした。その意味では、昆虫の研究に夢中になっていたら、「毎日が夏休み」なのかもしれません。

図3-11　コクロヒメテントウの幼虫

ヒツジの皮作戦

ここまでお話ししたように、ニホンアブラバチはアリが守っているアブラムシを利用できるのですが、では、本種以外にもそんな天敵は日本にいるのでしょうか？

ある日、私はいつものミカン園で、トビイロケアリが随伴しているワタアブラムシのコロニーのなかに奇妙な虫を見つけました。その虫は体長約四㎜、背中全体が白い綿状《わたじょう》物質で厚くおおわれています(図3－11)。この虫はアリと出会ってもまったく攻撃されませんでした。

最初、この虫は植物の汁を吸うコナカイガラムシの仲間かと思いましたが、よく見ているとアブラムシを捕まえて食べていました。そう、じつはこの虫は、アブラムシの天敵だったのです。背中の綿状物質は羊毛のようにも見えるため、それはまるで「ヒツジの皮をかぶったオオカミ」です。

図鑑等で調べてみると、この虫はコクロヒメテントウという小型のテントウムシの幼虫とわかりました。成虫の体長は二~三㎜でナミテントウの成虫(体長五~八㎜)に比べてかなり小さいです。本種の幼虫はアブラムシの脚や体を大あごで噛んで捕まえ、その体液を吸い取って食べます。体は小さくても、成虫になるまでにアブラムシを数十頭食べるのです。

ミカン園で本種の幼虫をじっくり観察したところ、アリが随伴しているアブラムシコロニーのなかでもアブラムシをたくさん食べていました。幼虫はアブラムシコロニーのなかやその近くを歩いていても、さらにはアブラムシを食べていても、アリから決して攻撃されませんでした。アリはこの幼虫と出会っても、多くの場合、何も反応せず無視しました。たまにアリは触角《しょっかく》を使って幼虫の綿状物質を調べましたが、やはり特に反応することなく、しばらくすると何もなかったように離れていきました。このように、本種もアリが守っているアブラムシを利用できることがわかりました。

本種の幼虫がアリに攻撃されない理由として、その背中の綿状物質にアブラムシの体表と同じ化学物質が含まれていて、これによってアブラムシの「ふり」をしてアリをだましている、すなわち「化学的に擬態《ぎたい》」していることが考えられます。しかし、アブラムシではなく、アリ、あるいは植物、もしかしたらほかの昆虫に化学的に擬態しているのかもしれません。

本種にとって、アリがいるアブラムシコロニーを利用するメリットは何でしょうか？

もちろん、そこではアリによってナミテントウなどの捕食者が排除されているため、餌となるアブラムシがたくさんいることもそのひとつでしょう。一方、本種の幼虫は、ナミテントウやクサカゲロウの幼虫などに捕食(すなわち、ギルド内捕食)され、テントウムシ専門の寄生蜂からも攻撃されます。アブラムシに随伴しているアリは、ニホンアブラバチの場合と同様に、本種の幼虫をこれらの天敵から保護する働きをしているのかもしれません。

独占禁止

このように、ニホンアブラバチだけではなく、コクロヒメテントウの幼虫もアリが守っているアブラムシを利用できることがわかりました。そうなると、アリが守るアブラムシをめぐって、この二種の天敵の間で餌のうばい合いなどの争いが起きている可能性があります。

①ニホンアブラバチのマミーの数への影響

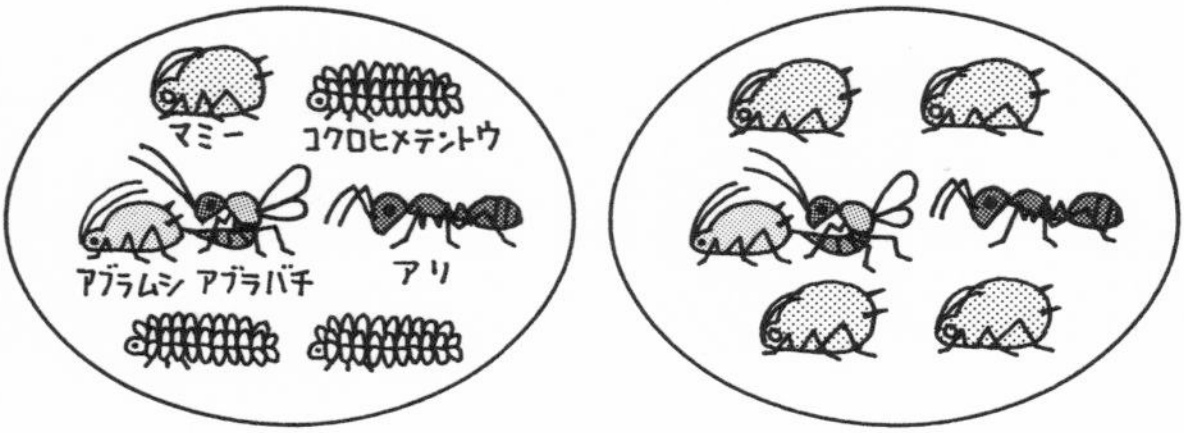

【コクロヒメテントウの幼虫がいる】
アブラバチに寄生されたアブラムシは食べられるので、マミーは少ない

【コクロヒメテントウの幼虫を除去】
アブラバチに寄生されたアブラムシは食べられないので、マミーは多くできる

②コクロヒメテントウの幼虫の数への影響

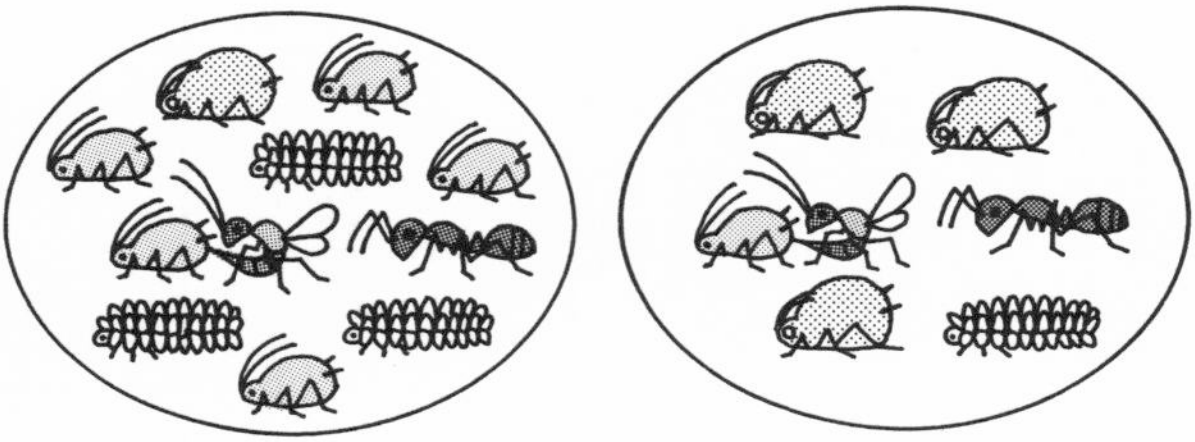

【アブラムシが多くマミーが少ない】
アブラムシを食べることができるので、コクロヒメテントウの幼虫が多くいる

【アブラムシが少なくマミーが多い】
マミーを食べることはできないので、コクロヒメテントウの幼虫は少なくなる

図3-12　アブラムシのコロニーにおける、ニホンアブラバチのマミーとコクロヒメテントウの幼虫の関係

これを検証するため、アリが随伴しているユキヤナギアブラムシのコロニーを使って、クロヒメテントウの幼虫がいる場合とそれを取り除いた場合とで、ニホンアブラバチのマミーの数を比較しました。

その結果、コクロヒメテントウの幼虫を除去したコロニーと比べて、コクロヒメテントウの幼虫がいるコロニーでマミーはより少なくなりました(図3-12①)。このことから、コクロヒメテントウの幼虫は、アブラムシだけでなく、アブラバチの幼虫に寄生されたアブラムシも食べる(ギルド内捕食)ことで、アブラバチ幼虫の数を減らしてしまうと考えられました。

その一方で、コクロヒメテントウの幼虫は噛《か》みきる力が弱いため、マミーの硬い体表を食いやぶって、中のアブラバチの蛹を食べることはできません。このため、アリが随伴しているコロニーでアブラムシの多くがマミーになってしまうと、コクロヒメテントウの幼虫は餌が得られず、その数は少なくなると予想されます(図3-12②)。

このように、アリが守っているアブラムシは、一種の天敵だけが独り占めできる餌資源ではなく、それをめぐって異なる天敵種の間で、手を替え品を替えの熾烈《しれつ》な争いが起きていると考えられます。

ステルス襲来《しゅうらい》?

では、コクロヒメテントウ以外にも、アリが守っているアブラムシを利用できる捕食者は日本にいるのでしょうか?

私は、二〇一一年九月に静岡市内のミカン園で、トビイロケアリが随伴しているユキヤナギアブラムシのコロニーのなかに、これまで見たことのない虫を発見しました。その虫は、体長約二~三㎜で、楕円形《だえんけい》の浅いお皿をひっくり返したような扁平《へんぺい》な体をしていました(図3-13)。脚は短く、体の下にかくれていて、体の上からは見えません。

図3-13　モンクチビルテントウの幼虫

それは、海外から日本に侵入《しんにゅう》したモンクチビルテントウの幼虫とわかりました。本種は、元々は中国、台湾、ベトナムなどに分布し、一九八九年に沖縄本島で成虫が発見されて以来、徐々に北上して二〇〇六年には鹿児島県で、二〇一〇年には静岡市でも成虫が確認されていました。しかし幼虫についてはそれまで日本国内では報告されておらず、私の発見が最初となりました。ちなみに二〇二〇年時点では、本種の発生は九州から関東の各地で報告されており、分布は着実に広がっています。

本種の幼虫は、アブラムシコロニーのなかやその付近でアリと遭遇しても、完全に無視されました。多くの場合、アリは幼虫の体の上を通って行きました。それは、幼虫がアブラムシを食べている時も同じでした。もしかしたら、本種の幼虫は扁平で薄っぺらなため、アリから見ると、植物の表面とほぼ一体化し、その存在に気づきにくいのかもしれません。

つまり、幼虫は、アリに感知されないようにする「ステルス(戦闘機などにも利用される、センサーなどで発見されにくい機能)作戦」を採用している可能性があります。

図 3-14　モンクチビルテントウの成虫

それでも、たまにアリは幼虫に気づいて、触角を使ってその体表を調べましたが、特に何も反応することなく離れて行きました。本種の幼虫も、コクロヒメテントウの幼虫と同様に、アブラムシか何かに化学的に擬態しているのかもしれません。
本種の成虫は体長二～三㎜で(図3-14)、非常に速く走ることができます。成虫は、アブラムシコロニーの近くでアリと遭遇し攻撃されても、素早く動いてそれをかわし、高速で走り去りました。メス成虫は、この高速走行を武器にアブラムシコロニーへの接近とアリの攻撃からの逃避《とうひ》をくり返しながら、アブラムシコロニーのなかや付近に産卵するようです。

北アメリカやヨーロッパでは、近年侵入したナミテントウやナナホシテントウが、アブラムシをめぐる競争(餌のうばい合い)やギルド内捕食を通じて、そこに元々いたテントウムシ種の個体数を減らしていると考えられています。

モンクチビルテントウについても、日本在来のアブラムシ天敵、特にアリがいても平気な天敵(ニホンアブラバチやコクロヒメテントウなど)との関係が気になります。とりわけ、日本には本種に近い仲間のヨツボシテントウという在来種がいます。その幼虫の形態は本種とよく似ており、やはりアリから攻撃されません。今後、本種の侵入によって、これらの在来種が減ることがないか注意深く監視する必要があります。

敵は多いほどおもしろい

本稿では、ニホンアブラバチという小さなハチを中心に、アリが守っていてもアブラムシを利用できるユニークな天敵たちを紹介するとともに、彼らとアリやほかの昆虫との複雑ながらも興味深い関係について解説しました。

ここまでお話ししたように、ニホンアブラバチは多種多様な敵に囲まれています。メス成虫のアブラムシへの産卵を妨害するアリだけでなく、幼虫や蛹をねらう二次寄生蜂やアブラムシ捕食者も何種もいます。また、ニホンアブラバチと同様にアリが随伴しているアブラムシを利用できるコクロヒメテントウも難敵です。さらには、海外から侵入してきたモンクチビルテントウも新たな敵になるかもしれません。

幕末の英傑・勝海舟は、歯に衣《きぬ》着せぬ物言いで、政治上の「敵」を作ることも意に介さず、「敵は多ければ多いほどおもしろい」と言ったそうです。とはいえ、敵であるアリを味方として利用しているニホンアブラバチといえど、敵はなるべく少ない方がいいでしょう。

それでも、私にとっては、この小さなハチがこんなにも多くの敵のなかをどのようにして生き抜いているのかを解き明かしてゆくことは、このうえもなく「おもしろい」のです。

第4章

外来種がやって来た！

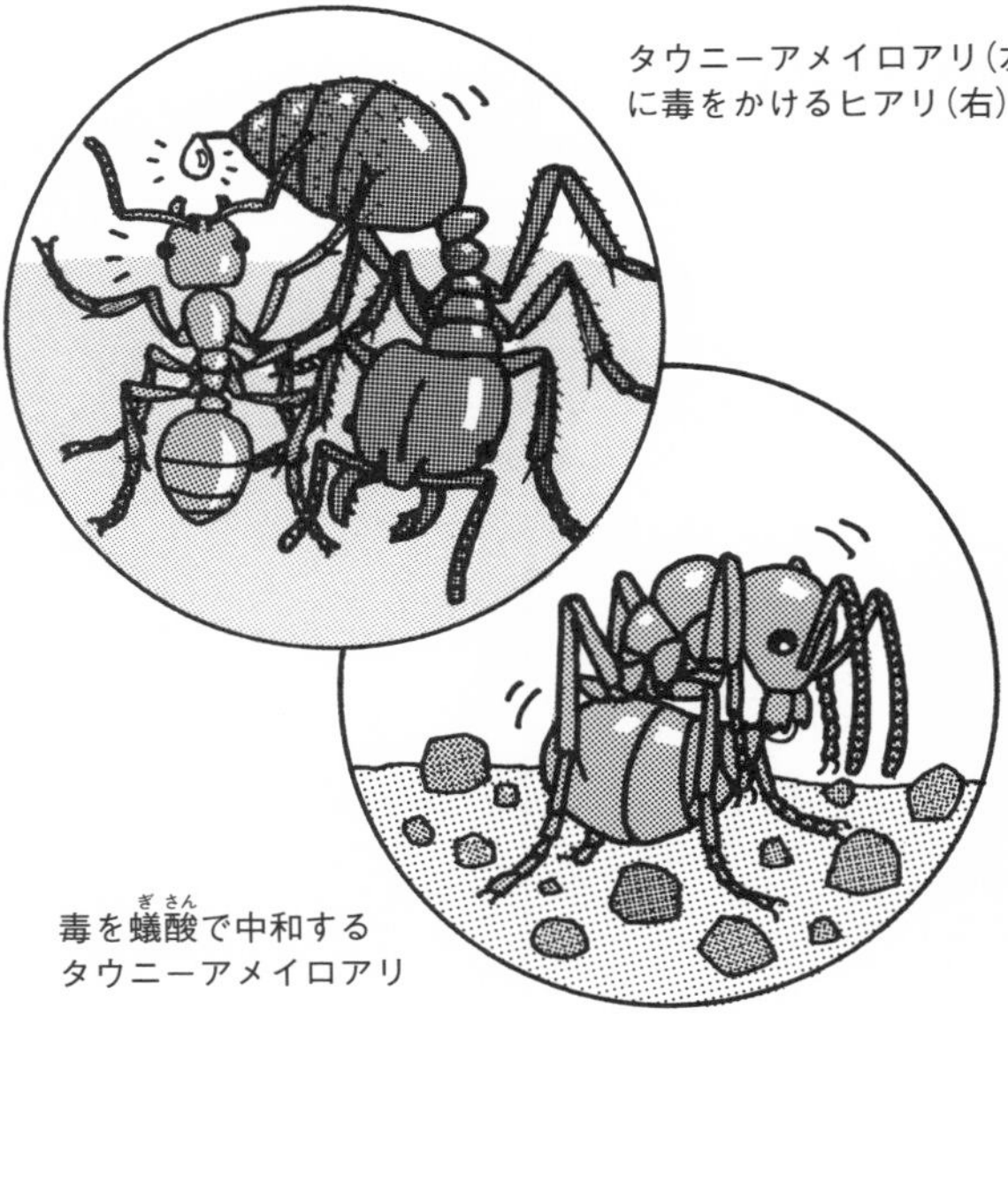

タウニーアメイロアリ（左）
に毒をかけるヒアリ（右）

毒を蟻酸《ぎさん》で中和する
タウニーアメイロアリ

ヒアリ、アルゼンチンアリはなぜはびこる？
——外来種の研究と生物多様性

辻 和希

二〇一七年の初夏、外来生物法の特定外来生物に指定されているヒアリの日本侵入《しんにゅう》が発覚し、大騒動になりました。ヒアリはもともと南米にすんでいたアリですが、世界各地に広がって毒針《どくばり》でヒトや家畜などに危害を加えていることから、注目を集めたのでしょう。

しかし、この稿の目的は、ヒアリの生態のくわしい解説ではありません。なぜ一部の外来生物が侵略的《しんりゃくてき》になるのか、そのしくみに関して最近わかってきた知識のほんの一部を、アリを例に紹介します。

なぜ一部の外来種が侵略的だといわれるのでしょう？ 環境省の定義では、もともとその地域にいなかった生物種で、人間の活動によって他地域から入ってきたものを「外来種」とよんでいます。そして、外来種のなかでも、地域の自然環境に大きな影響を与え、生物多様性をおびやかすおそれのあるものを、特に「侵略的外来種」とよびます。

ここで、アリの話をする前に、最近よく耳にする生物多様性について、簡単に説明しておきましょう。生物多様性とは、種の多様性、すなわちさまざまな種がいること。遺伝的多様《いでんてきたよう》性《せい》、すなわち同じ種のなかにさまざまな遺伝的変異《へんい》が存在すること。生態系の多様性、すなわち地域固有のさまざまな生態系があること。これら大きく三つに分けられます。

侵略的外来種が生物多様性をおびやかすおそれとは、主として在来種（外来種の反対概念。ヒトに運ばれたのでなく、もとからそこにいた種）が駆逐《くちく》されてしまうことです。種の多様性や遺伝的多様性が失われ、やがては生態系の多様性も損なわれる可能性が高いのです。

では、野生種の絶滅《ぜつめつ》がヒトに与える影響とは、どんなものでしょう？　多くの場合、その影響はすぐには明らかにはならないでしょう。たとえば日本の在来種の鳥、トキは絶滅してしまいました（繁殖《はんしょく》に成功して野生復帰をさせているトキは、もとは中国に生息していたものです）。しかし、それが原因でさらに他の生物が絶滅したとか、人の生活が困難になったという話は聞きません。

でも考えてみてください。私たちの食料となる農畜産物は、もともとは野生生物だったものを育種《いくしゅ》（品種改良）したもので、医薬品の多くも野生生物由来の物質を改良して利用したものです。未来に何が起こるのかを完全に予見することは誰にもできません。ヒトにとって野生生物とは、ヒトの歴史が長く続くために乗り越えなければならない困難への切り札が隠《かく》された、地球からの贈りものといえるのではないでしょうか。

つまり、野生生物種をヒトの短期的で身勝手な損得から絶滅させてしまうのは、長い目で見ると、私たち人間自身の首を絞《し》めることになると私は考えています。

さて、私は先ほど、外来種の一部が侵略的になると書きました。逆にいえば、外来種のすべてが侵略種になるわけではないのです。ヒトは、食用のため、観賞のため、あるいは意図せずに、無数の生物を生きたまま遠くに移動させてきました。「外来種イコール撲滅《ぼくめつ》すべき悪」という考えでは、現代のヒトは暮らしていけません。私たち日本人の食用作物も、ほとんどが、もとはといえば外来種です。

注意すべきなのは、このような外来種の一部が、ヒトの管理下を離れて野生化してしまうことです。そして野生化したもののうち、さらに一部が侵略種になるのです。ドイツに導入された外来植物のデータでは、導入されたもののうち野生化したのは二・六%、侵略種化したのは〇・一%だったそうです。

この比率は地域や生物分類群によって変わるでしょうが、このデータが示す侵略種化の確率から、外来種＝すべて悪という潔癖《けっぺき》主義の非現実性が露呈《ろてい》します。人間社会が長く続くための現実的な課題とは、外来種が侵略種化して生物多様性を損なわぬように、環境を管理していくことなのです。

アリは外来種化すると最強になる？

では、アリの話に入りましょう。アリは国際自然保護連合が発表した世界的侵略種一〇〇種のなかに、じつに五種も入っています。このブラックリストはウイルスから哺乳《ほにゅう》動物までを広くカバーするものですが、ここでのアリの突出には目を見張ります。これはアリが侵略種化した場合のインパクトの大きさを表しています。

影響が大きいのは、アリが陸上生態系で繁栄しているからでしょう。一個体の大きさこそ小さいものの、アマゾンで行われた研究では、社会性昆虫であるアリとシロアリが動物全体の体重の三分の一を占めていて、アリ全体の体重は哺乳動物のそれの四倍とするデータもあります。

外来種は変わる

侵略的外来種に共通する特徴は、原産地にいたときと性質が変わることです（野生生物の自然分布域を「原産地」とよぶことに私は抵抗がありますが、このよび方は定着しているのでしたがいます）。何が一番変わるのか？　それは侵略種の定義とも関連しますが、顕著《けんちょ》なのは個体密度、あるいは総体重です。

侵略的外来種は、原産地の野生環境では他の多くの在来種に混じって数量において「ジミな」生物群集《ぐんしゅう》（生態系から非生物的要素を除いたもの）の一メンバーとして暮らしていることが普通です。一種だけが個体数において大きく卓越することは、寒冷地や乾燥《かんそう》地以外ではあまりありません。

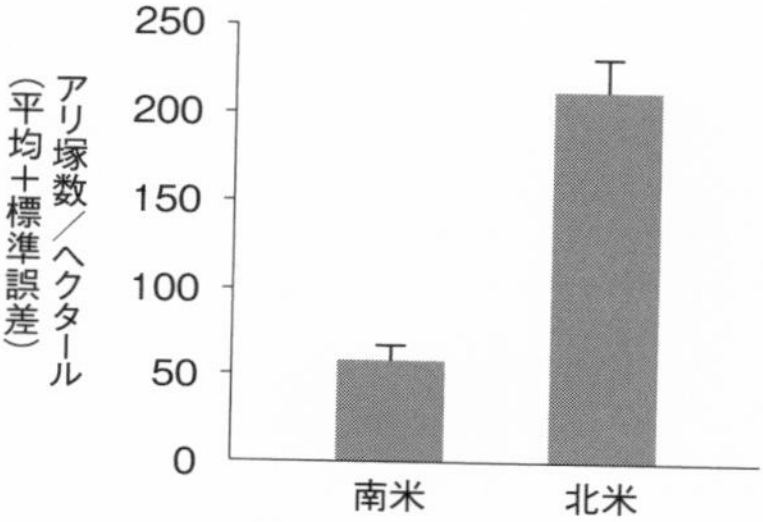

図 4-1　道路脇におけるヒアリの巣密度の、原産地・南米と侵入地・北米の比較(ポーターらの論文より)

一方、侵略的外来種は、侵入先では、どの在来種よりも個体密度が突出して高くなり、さらに原産地よりも高くなるのが特徴です。例として、図4-1に原産地と侵入地で道路脇に見られるヒアリの巣(アリ塚《づか》)の密度を比較したデータを示しました。侵入地である北米でのヒアリの平均巣密度は、原産地である南米の約四倍に達しています。侵入地でのこの高密度が、侵略性のすべてに関係していると述べても過言ではありません。

ほかにも変わる性質は多数ありますが、それについては後で述べることにします。要は「生物は変わる、進化する」ということです。生物進化が環境から受ける「力」で起こることは解明されていますから、侵入地という新しい環境で生物が以前と性質が変わってしまうのは、科学的にはごく「自然」なことかもしれないのです。

しがらみからの解放

では、外来種がなぜ大増殖《だいぞうしょく》するのか？　最も重要と考えられるしくみをひとことで表現するなら「しがらみ」からの解放となります。生物の進化とはせめぎ合いの歴史です。

生物は繁殖して子を残します。子は親がもつ性質の一部を遺伝で引《ひ》き継《つ》ぎますが、たまに突然変異《とつぜんへんい》が起こり、親にはない性質をもつようになります。突然変異は多くの場合は有害ですが、まれに生存により適した性質を生み出すこともあります。そんな変異性質(をもつ個体)は、従来的性質(をもつ個体)との種内競争を生き抜いて、子孫世代の間に広がっていきます。この積み重ねで、集団・種が環境に適応《てきおう》していくこと、これがいわゆる自然選択《しぜんせんたく》による進化です。

いま述べたのは種内競争ですが、同様のせめぎ合いは、同じ環境にすむ別種の生物の間でも同時進行します。別種生物との相互作用は、進化をさらに加速させる可能性があります。

たとえば、恐ろしい捕食者《ほしょくしゃ》である他種生物が現れたとします。餌《えさ》となる生物種のなかで、もし捕食から逃れるのに有利な性質をもつ突然変異個体が現れたらどうなるでしょう？　たとえば、環境に擬態《ぎたい》する隠蔽色《いんぺいしょく》や、捕食者が嫌がる毒などの武器をもった突然変異個体を想像してください。そのような形質をもつ個体は、もたないものよりも生存上有利なので、多くの子孫を残すことができ、世代交代の過程で性質はだんだん種内に広がっていくでしょう。結果、以前よりも捕食されにくくなり、その種は絶滅をまぬがれるかもしれません。

一方、このような餌生物の防衛に対して、捕食者側にもそれを突破する手段が進化する可能性があります。たとえば解毒《げどく》能力です。生物同士の関係は「敵もさるもの進化するもの」で、これを共進化《きょうしんか》とよびます。とくに敵対的関係で起こりうる共進化は軍拡《ぐんかく》競走共進化とよばれ、進化を加速させます。

まだ学問的には完全に実証された考えではありませんが、同じ地域にすみ、進化的スケールで過去の歴史を共有してきた種の間には、せめぎ合いの末のある種の均衡《きんこう》関係が成立していると考えるのは合理的です。この均衡こそが、ある一種の生物が突出して増えすぎないように作用する「しがらみ」の正体です。

なぜ「しがらみ」が自然発生するのか、もう少し詳しく説明します。仮にしがらみを振り切って、突出して増える生物が現れたとしましょう。すると今度はその生物自体が他の生物が利用できる大きな資源になりうるため、時とともに進化してきた他の生物に利用され、侵食されていくでしょう。

たとえば南米アマゾンで、捕食者として個体数の上で優勢なグンタイアリの巣には、グンタイアリに寄生《きせい》することに特殊化《とくしゅか》した無数の生物種(蟻客《ぎきゃく》)がすみついています。こうして繁栄する種はやがて他に利用されて侵食される運命にあり、その結果、突出することができなくなると理論上は考えられるのです。

さて、新天地に運ばれて野生化に成功し、外来種となった生物は、進化的な時間スケールではおそらく一時的であるにせよ、このしがらみから解放されます。しがらみの最たる例は天敵《てんてき》の存在です。生物の原産地には、その生物を餌にするよう専門化した捕食者(スペシャリストといいます)がしばしば存在します。新天地には、これがいません。もちろん新たな天敵が在来生物のなかから進化してくる可能性はありますが、それには時間が必要です。そんなわけで、天敵という個体数を抑制するたがが外れた外来種は大増殖するのです。

外来種の大発生が天敵不在で説明できる例は、農業害虫などに枚挙にいとまがありません。

イセリアカイガラムシ、クリタマバチ、ウチワサボテンなど、これら外来種は侵入地で一度は大発生しましたが、原産地からのスペシャリスト天敵の導入により、個体数の抑制に成功しました。農学の分野では、これを古典的生物的防除《ぼうじょ》とよんでいます。

ヒアリの強力ライバル、登場

外来アリが大発生する裏にも、病原菌《びょうげんきん》などの天敵からの解放が重要だとする事例研究がいくつかあります。しかしアリはジェネラリスト捕食者(スペシャリストと異なり、さまざまな生物を捕食する天敵)としてむしろ他の生物の天敵である側面が強いため、しがらみからの解放は、少し別の様相を呈します。

ヒアリは一九三〇年代までに、原産地の南米からアメリカ合衆国のアラバマ州に侵入しました。七〇年かけて合衆国南部一帯とカリブ海諸島に広がったあと、二一世紀の初頭についに太平洋を渡り、オーストラリア、ニュージーランド、台湾、中国、そして二〇一七年にはわが国に侵入しました。ヒアリが侵入すると、とくに畑や公園などの人が手を加えた陽当たりのよい環境で大発生し、他の在来アリが大きく数を減らします。

ヒアリは、成熟すると働きアリ数が二〇万匹を超える、大きなコロニー(女王とその子からなる家族集団）を作ります（ただし単女王性コロニーの場合）。北米や日本の在来アリではコロニーあたりの働きアリ数は多いものでも数万が普通ですから、成熟したコロニー同士がもし争ったら、ヒアリの方が有利です。

しかし、ヒアリの強さは数の面だけではないようです。ヒアリはたしかに攻撃的で、他種のアリと縄張《なわば》り争いをすることもありますが、このときの戦い方にも強さの秘密があります。ヒアリに刺《さ》されると激しく痛み、患部《かんぶ》に膿疱《のうほう》ができます。これはヒアリの毒の主成分であるソレノプシンの作用によるものです。ソレノプシンはヒアリの仲間（トフシアリ属）だけがもち、動物がつくる毒としてはめずらしくアルカロイドに分類されます。

ヒアリはこの毒をライバル他種のアリとの縄張り争いにも使います。お尻《しり》から毒液をかけるのです。アルカロイドという名の通り、アルカリ性特有のねばついた毒液の露《つゆ》は、他種のアリにへばり付き、微量でも強い接触毒性を発揮します。その強さは第二次世界大戦後に使用された農薬のＤＤＴの二〜三倍といわれ、毒にふれた在来アリは、なす術《すべ》がなく数分で死んでしまいます。

ところが最近になり、この毒をものともしないヒアリの強力なライバルが、北米のテキサスに現れました。それはヒアリと同じ南米原産で、最近北米への侵入が発覚したタウニーアメイロアリというアリです。

このアリはヒアリに毒をかけられると、ある奇妙な行動をとります。かがみ込んで、お尻に口をあてたあと、ていねいに自分の身体をなめるのです。これはアリが一般によくする身づくろい(グルーミング)行動ですが、このときお尻から出した自らの毒液で、身体を洗浄《せんじょう》していることがわかりました。

毒液の主成分は蟻酸《ぎさん》です。蟻酸はヤマアリ亜科に属するアリがつくる、強い酸性の液体です。そう、ヒアリのアルカリ性の毒を蟻酸で中和していたのです。毒をもって毒を制する。これが毒攻撃に対抗《たいこう》できる理由でした(本章扉絵)。

現在、タウニーアメイロアリは、テキサスでヒアリを駆逐しつつあります。「刺さないだけまし(ヤマアリ亜科は毒針をもたない)」と思われるかもしれませんが、ヒアリをもはるかにしのぐ個体密度に達し、やはりほとんどのアリ種を駆逐してしまう、ヒアリに代わる侵略種と化しています。

それにしても、なぜタウニーアメイロアリだけがヒアリの毒攻撃への対抗手段をもつのでしょう？　蟻酸をもつヤマアリ属のアリは北米の在来種にもいるのに、です。たぶんその理由は、過去の共進化史と関係します。タウニーアメイロアリは南米でヒアリと自然分布域が重なり、河原などの撹乱地《かくらんち》をおもなすみ場所にしているところも似ています。この二種は過去の長い進化史においてライバルとしてせめぎ合ってきたと考えられます。あるいはこのアリは原産地ではヒアリの幼虫などを捕食するヒアリの天敵だったのかもしれません。

一方、北米の(そして日本の)在来アリは、ヒアリと戦ってきた歴史をもちません(ヒアリと類似の毒をもつアカカミアリは、アジアでは、そしておそらく北米でも外来種。他の北米在来のトフシアリ属は小型の地中性で生態が大きく異なります)。ヒアリと対峙《たいじ》した歴史がまだ浅いので、蟻酸の量が十分でないか、行動の面での適応が不十分で、ヒアリに対抗できないのでしょう。

日本産外来アリ！

毒針は、別のアリ種の侵略種化にも関係しています。オオハリアリは日本とその周辺地域が自然分布域のアリですが、一世紀以上前に北米に侵入し、今ではノースカロライナなどの州の林床《りんしょう》で大発生している、いわば日本原産侵略アリです。こんな事例があることは日本ではあまり知られていませんが、同様の「日本産外来アリ」は他にも、トビイロシワアリ、アメイロアリ、ウメマツアリがあり、やはり北米で増えています。

オオハリアリはその名のとおり毒針をもっています。ヒアリ同様に、刺されるとかなり痛み、アレルギー症状をきたすこともあります。日本で本種はシロアリを主食にし、毒針は獲物《えもの》を狩るために使います(図４－２)。

図4-2　ヤマトシロアリを毒針でしとめて捕食するオオハリアリ(写真：末廣亘氏)

最近、私は岡山大学(当時)で松浦健二さんが指導する大学院生(当時)の末廣亘《すえひろわたる》さんらと共同研究し、自然分布域である日本と侵入先の北米で本種の生態を比較しました。北米で侵入後一〇〇年あまりのあいだに本種の何が変わったのか、徹底的に調べたのです。その結果、北米では日本より個体密度が高く、とくに他の在来アリの密度に負の影響を与えていることがわかりました。

最も顕著に変わっていたのはその食性(何を食べているか)でした。本種は捕食者・肉食者で「普通のアリ」と異なり、蜜《みつ》などの植物由来の餌を食べません。これは侵入後も変わっていませんでした。しかし、餌メニューに占めるシロアリの割合が、日本と比べると北米では大きく下がっていたのでした。つまり、シロアリ専門食的からジェネラリスト捕食者的に変わっていたのです。

ここにもヒアリの例と同様の共進化史が関係しているようです。自然分布域の日本では、オオハリアリの主食はシロアリだと書きました。日本で野外観察をしていると、オオハリアリに出会った他の昆虫、とくに他種のアリは瞬時に逃走します。オオハリアリは攻撃を試みるのですが、なかなか捕《つか》まりません。そんななかでシロアリは、オオハリアリにとって御《ぎょ》しやすい食料源になっているようです。

図4-3　ノースカロライナの林床で在来種のオオアリの仲間を襲うオオハリアリ

興味深いことに、オオハリアリは貴重な餌であるシロアリの巣を見つけても、みな殺しにせずに、少しずつまるで家畜のように長期にわたって利用し続ける戦略をとります(これらは共同研究者による未発表のデータですので、くわしく書けないのが残念です)。
一方、北米ではさまざまな昆虫たちがオオハリアリに捕まり、食われているようです。それにはアリも含まれているでしょう(図4-3)。オオハリアリの仲間はアジア・アフリカに分布し、北米には近い仲間の在来種がいません。おそらく北米の昆虫は、進化史上出会ったことがないオオハリアリに対する警戒心や防衛反応が未発達なのでしょう。

さて、私がオオハリアリの上記の話で、多分に断定的でない書き方をしたのには理由があります。オオハリアリの食性変化を、この目で直接観察したわけではないからです。なぜならオオハリアリは餌の大部分を地中で集めるので、何を食べているかほとんど観察できません。そこで共同研究者である岡山大学の兵藤不二夫さんに、同位体分析という方法で食性の推定をお願いしたのでした。

原子の核《かく》には陽子と中性子があり、同じ元素の原子なら陽子の数は同じですが、同じ元素でも中性子数が違うものがあり、これらを同位《どうい》体《たい》といいます。たとえば炭素《たんそ》は陽子の数は六ですが、地上では炭素の約九九％が質量数一二(陽子六個で中性子六個)の^{12}Cです。残りのほとんどが質量数一三(中性子が七個)の^{13}Cです。この二つは安定していて、自然に崩壊《ほうかい》して他の元素になったりしません。

もうひとつ、地球上には、中性子を八つもつ^{14}Cがわずかに存在します。^{14}Cは宇宙線の影響で、成層圏で^{14}N(窒素《ちっそ》)から生成されますが、地上では半減期五七三〇年でβ《ベータ》崩壊し^{14}Nに戻る放射性同位体です。地表で光合成生物に有機物として固定された後の^{14}Cは、崩壊するだけで増えません。この性質を利用し、^{14}Cは有機物の年代測定に使われます。

しかし二〇世紀のヒトの活動により、大気中の^{14}Cの量に異変が起きました。米ソ冷戦時代に行われた度重なる核実験が、空前の量の^{14}Cを大気中にばらまいたのでした。

大気中の^{14}Cの量は、大気圏内の核実験が禁止された一九六三年にピークを迎えます。その後、海底などに吸収・蓄積されたのか、空気中の^{14}Cの量は減り続け、今では核実験開始以前の状態近くにまで減り、地上の植物の葉やそれを食す昆虫の^{14}Cの濃度は核時代以前のレベルに近づいています。

しかし地上の有機物のなかには、いまだに核実験由来の^{14}Cを多くもつものが例外的に存在します。それは樹木の幹の部分と、死んだ樹木の幹を食べる昆虫です。後者の代表が、シロアリです。有機物中の^{14}C比は、固定された時点での大気中の炭素同位体比を反映します。寿命《じゅみょう》の長い樹木の幹は、しばしば数十年前に固定された炭素でできているため、高い^{14}C比をもちます。そしてシロアリは倒木の幹などを主食としているので、やはり^{14}Cを高濃度でもつのです。ここまでは以前に実証されていました。

私たちは、シロアリを食べるオオハリアリにも高濃度の^{14}Cが存在するのではないかと考えました。この予測は、日本では当たりました。日本ではシロアリは^{14}C濃度による推定で、二三年から四八年前に固定された炭素をもち(以後、炭素年齢)、オオハリアリもそれに対応し一八年から三五年前に固定された炭素をもちました。オオハリアリの炭素年齢の方が少し若いのは、シロアリ以外の獲物(オオハリアリは完全に肉食です)も少しは食べているからと想像されます。

一方で、アメリカではシロアリは日本同様に一七年から三六年前に固定された「古い」炭素をもちましたが、オオハリアリは三年から一八年とシロアリよりも統計学的に有意に「若い」炭素をもちました。これはとりもなおさず、オオハリアリはアメリカでは日本にいたときよりシロアリ以外の餌、たとえば植物の葉を食べる昆虫などをよく食べていることを客観的に示すデータといえます。

在来種に勝つのは「家族」が識別できなくなったから?

アリのコロニーは家族です。家族は協力しますが、別の家族とは仲が悪く、ふつうは同種であっても、別のコロニーで生まれた個体は巣に入れません。もっといえば、巣や縄張りに侵入した「よそ者」は、同種であろうとも殺されてしまうことも、まれではありません。

ところが侵略的外来アリには、このような種内の排他性《はいたせい》が見られないことがあります。有名な実例は、南米原産のアルゼンチンアリです。侵入先のヨーロッパでは、ポルトガルからイタリアにいたる六〇〇〇㎞を超える範囲で発見された巣が、ほぼすべて「同じコロニー」であったと報告されています。もちろん間に山や川もあり、遠く離れた巣と巣の間で個体が自然に往来しているわけではありませんが、実験的に接触させると敵対せず融合《ゆうごう》してしまうのです。最近の研究では、ＤＮＡ分析データからこれと「同じコロニー」と判定できるものが、カリフォルニアやオーストラリアそして日本にも分布しており、これらも出会えば混じる（だろう）と考えられています。

なぜ融合してしまうのか？　直接的には、アリの化学受容《じゅよう》（いわゆる嗅覚《きゅうかく》）が関係しています。アリが家族と「他人」を識別できるのは、体表をおおう化学物質が家族に特徴的な目印として機能しているからだと考えられています。

昆虫の体表は、昆虫自身が合成する炭化水素（いわゆるワックス）でおおわれています。その本来の機能は乾燥防止とされていますが、奇妙なことに、アリでは分子量や構造が違うさまざまな炭化水素分子がブレンドされています。これがヒトにとっての「顔」のような役割をしているのです。私たちが顔で個人を特定するように、アリは体表炭化水素で家族を認識します。

まだ状況証拠ながら、アリの炭化水素のパターンは遺伝するとされ、家族は血縁者なのでつくり出す体表炭化水素のブレンドが似ています。それだけでなく、アリでは家族である同巣者がグルーミング行動で、体表炭化水素を個体間で積極的にミックスし、メンバー間で均一化させる「化粧《けしょう》」をしています。実際、多くのアリ(ただし在来アリ)では、同じコロニーに属す個体はほぼ同じ炭化水素のブレンド比を示し、別のコロニーに属す個体はやはり別の均一なブレンド比を示します。神戸大学の尾崎まみこさんらの研究によれば、アリは触角《しょっかく》でブレンド比を感じ、家族かそうでないかを瞬時に判断します。

アルゼンチンアリの巣が融合してしまうのは、体表炭化水素ブレンド比の多様性が消失しているためです。たとえば、先に述べたヨーロッパ、ハワイ、カリフォルニアなど、融合してしまう巣はすべて、炭化水素のブレンド比がほぼ同じであることがわかっています。

でも、そんなことがなぜ起こったのでしょう? 以下はおもにカリフォルニア大学サンディエゴ校のテッド・ケイス教授のグループの研究成果によります。

本項のはじめに書いたように、南米の原産地では、アルゼンチンアリもとくに個体数において突出することがない生態系のジミなメンバーです。さらに原産地のアルゼンチンアリはコロニーごとに異なる多様な炭化水素のパターンを示し、異なるコロニーは激しく敵対し

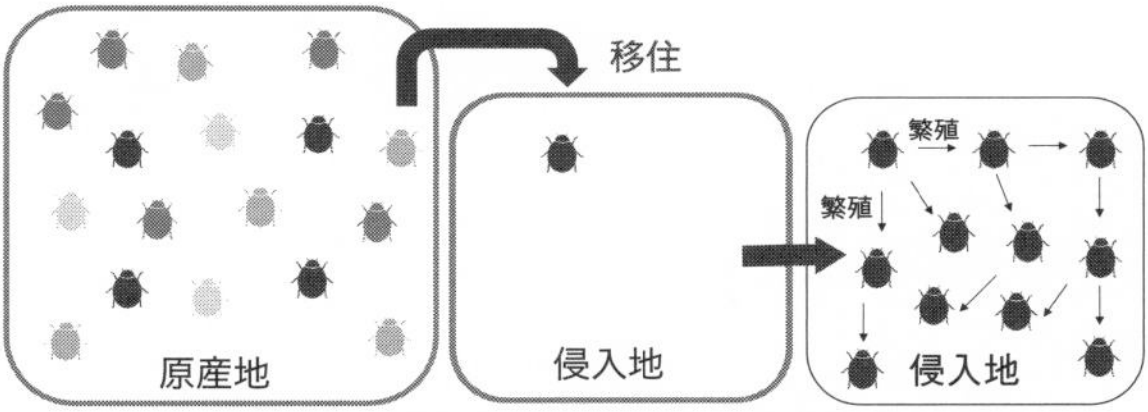

図 4-4　同種個体の間に遺伝的変異がある原産地から、1個体が新たな土地に侵入・移住する。少数の移住者(この例では1個体)に由来する侵入地の個体群は、原産地よりも遺伝的多様性が低下する

ます(ただし多女王多巣性で、個々のコロニーは半径にして数百mに広がる比較的大きな縄張りをもちます)。要するに、南米では他のアリ同様の「普通のアリ」だといえるかもしれません。

一方、侵入先では、原産地よりもDNAの多様性が大きく減少していることがわかりました。これは個体群(ある地域にすむ同種個体の集合)がごく小さくなったことで起こる集団遺伝的ボトルネックとよばれる現象と考えられ、外来種でしばしば起こります。

かみくだいて説明するため、極端なものを想定しましょう。もし侵入したのが一つのコロニーだけだとすると、その土地では以後の世代のすべての個体が、この創始者由来の遺《い》伝子《でんし》をもつことになり(図4-4)、それは炭化水素パターンを決める遺伝子(これは学問上未特定)にもあてはまると想像されます。結果として、個体群全体が似た炭化水素パターンを示す事態になり、コロニー識別能力が失われてしまうのです。つまり個体群全体がみな同じ「顔」をもつため、家族を区別できないのです。その帰結として、ヨーロッパのアルゼンチンアリのような巨大融合コロニーが形成されます。

さらにコロニー識別能力の喪失《そうしつ》は、それらが侵略的になることと関係しているようです。種と種の関係を研究する群集生態学の理論は、種内競争が種間《しゅかん》競争よりも強く働くとき、より正確には生物の密度が主として種間より種内の競争により抑制されるとき、複数種の共存が成立すると予測しています。逆に種内競争よりも種間競争が卓越する場合は、競争力の強い種が弱い種を駆逐すると予測しています。

さて、ここで前述の体表炭化水素の話を思い出してください。アリは巣の近くで家族でない個体に出会うと、相手が同種でも他種でも攻撃します。しかし、侵入先のアルゼンチンアリの個体群では、「炭化水素の顔」が区別できないため、種内での家族対家族の闘争ができなくなります。種内での競争に費やす労力や時間を節約できることは、この外来アリに強い増殖力を生み出します。しかし、他種は炭化水素のパターンが違いますから区別ができて攻撃もするので、高い増殖力が卓越した種間競争力に転じ、その結果在来アリを駆逐するのです。

上記ボトルネック説には反論もあり、学説としてまだ確定しているわけではありませんが、私は説得力があると考えます。アルゼンチンアリ以外にも、融合コロニー性の世界的な侵略的外来アリであるツヤオオズアリやコカミアリなどでは、同じしくみが働いていると想像されます。

おわりに

ボトルネック説の裏を考えれば、利用資源が似ている在来アリが多種共存するのは、同種の家族間闘争の方が他種(の家族・コロニー)との闘争より激しいからでは、と考えることもできます。このアイデアの詳細については他書にゆずりたいと思いますが、ここで重要な観点にいたります。たしかに外来生物は、地球からの贈り物である生物多様性をおびやかす存在ですが、単に厄介者として駆除《くじょ》することだけを研究者のすべてが考えてしまうのは、おろかだと思います。それらを基礎的視点からしっかり研究することも重要だからです。

外来アリという相手をよく知るための基礎研究が、駆除戦略に役立つのはいうまでもありません。いやそれだけでなく視点を変えれば、外来種問題は生物多様性そのもの、つまり地球上になぜこんなにも多様な生物が共存しているのかを理解するのに、いい機会を与えているのです。

たとえば在来種からなる生態系では多種が共存するのに、そこに侵略的外来種が加わると多種共存が瓦解《がかい》してしまうのはなぜでしょう？　アリは、家族で仲良く協働する勤勉の代名詞なのに、家族間の仲がとても悪いのはなぜなのでしょう？　こんな素朴《そぼく》、つまり基礎的な疑問のなかに、生物多様性維持のしくみの解明への糸口があると私は考えます。

昭和二九年公開の映画『ゴジラ』で志村喬《しむらたかし》さん演じる山根博士が「みな、ゴジラを殺すことばかり考え、なぜゴジラを生物物理学的に研究しようとしないのか」とつぶやきました。ヒアリがゴジラのように日本の港に上陸した頃に出版したある本のなかで、奇《く》しくも私は同じ哲学を主張したのでした。

「もっとも基礎的なことが、もっとも役に立つ」

虫を調べに南へ北へ
――外来昆虫の新天地への適応《てきおう》

田中幸一

プロローグ――まさか、もう？

「あれ？　産卵している。しまった、飼育器の設定を間違えたか？」

二〇〇五年四月のこと、私は実験中のブタクサハムシという虫の餌《えさ》(ブタクサの葉)をとりかえていました。飼育器というのは、正式には人工気象器といい、温度や日長《にっちょう》(蛍光灯《けいこうとう》による照明時間)を一定に保つ装置で、昆虫の飼育によく使われます。さて、設定を確認してみると、温度二五℃、日長一二時間(一二時間は照明、一二時間は暗黒)で、間違えていませんでした。

「まさか、もう変化が起こったのか？」

私は、予測が的中したかもしれないという期待と、何かほかに間違いはなかったか、という半信半疑の気持ちでした。

順序立てて説明しましょう。温帯や寒帯の昆虫の多くは、冬の間は活動せず、眠った状態(休眠《きゅうみん》といいます)で過ごします。そして、秋や冬が近づいていることは、日が短くなったことを感じて知るものが多いのです。本稿の主人公であるブタクサハムシも、短日によって休眠に入ることがわかっています。この虫は成虫で越冬《えっとう》するので、産卵せずに休眠に入ることになります(詳しいことは後で述べます)。

そのことを示した論文が、農業生物資源研究所(当時)の渡邊匡彦《まさひこ》さんによって二〇〇〇年に発表されました。その論文を読んだ時に私は「休眠に入る時期が早すぎる。この虫は外来昆虫で、日本の気候にまだ適応していない。この性質はいずれ変化するだろう」と予測しました。つまり、目の前で進化が起こる過程を見られるかもしれないことを期待したのです。

この論文では、日長一二時間では、すべての個体が休眠に入ることが示されていました。私がこの時に実験していたのは、休眠する条件を調べるためではなく、休眠した個体と休眠していない個体で飛ぶ性質を比較するのが目的で、休眠した個体を得るために、日長一二時間で飼育していたのです。ところが産卵しているメスがおり、それも一匹だけではありませんでした。

読者のみなさんは「休眠する性質が変化したことがこれで証明された」と思われるかもし

れません。ところが、この時に飼育していた虫は、二年前に採集して実験室で飼い続けていたものでした。人工的な条件で飼い続けていると、知らない間に性質が変わってしまうことがあるため、ブタクサハムシの場合にも、その可能性を否定できません。そこで、私は予測を証明すべく、あわてて研究を始めたのでした。

図 4-5　ブタクサハムシの成虫

グローバル化と外来生物
――海外から来るおじゃま虫たち

ブタクサハムシは、もともと日本にはいませんでした。一九九六年八月、千葉市でブタクサを食べている日本では未記録の甲虫《こうちゅう》が見つかりました。これは、北米(メキシコからカナダ南部)に生息するハムシの一種であることが判明し、ブタクサハムシ(図4-5)という和名がつけられました。

おもに食べる餌植物はブタクサです。ブタクサは、スギ・ヒノキ、イネ科植物(牧草など)とともに、花《か》

図4-6　ブタクサハムシに食いつくされて枯れたブタクサ

粉症《ふんしょう》の原因となる世界三大アレルゲン植物として知られています。ブタクサも北米原産ですが、温帯を中心に世界各地に帰化《きか》植物として定着しています。

この虫がわが国で見つかった頃、ブタクサの葉や花を食いつくすのがみられたことから（図4-6）、花粉症の救世主と期待されました。しかしその後、栽培作物であるヒマワリも食べて被害を与えることがわかり、害虫に指定されました。

この虫は、わが国で発見後、急速に分布を拡大し、一九九九年までには北は岩手県から南は熊本県まで分布を拡げ、この間の分布拡大速度は年間一〇〇㎞を超え、それまで侵入害虫で記録されたデータを大きく上回るものでした。現在は沖縄県を除く全都道府県に定着しています。

この虫が、どのような経路でわが国に侵入したのかは、わかっていません。しかし、北米から何らかの輸送物と一緒に入ったことは間違いないでしょう。外来生物のなかには、栽培作物、観賞用植物やペット、あるいは害虫を防除《ぼうじょ》するための天敵《てんてき》生物など、人間が意図的に持ち込んだ生物がいます。一方、ブタクサハムシのように、意図せずに持ち込まれた生物も数多くいます。

とくに近年は、グローバル化により、人間や物資の移動が世界的な規模で増大しているため、外来生物は増える一方です。この中には、ブラックバス（オオクチバス）など日本在来の生物に深刻な被害を及ぼしているものが含まれています。昆虫やクモでは、ヒアリやセアカゴケグモが世間をさわがせてきました。農作物の害虫や雑草としても、非常に多くの外来生物が問題となっています。

外来生物が新たな場所に侵入しても、そこの環境に合わなければ定着できません。侵入地では原産地に比べて、一般に天敵が少なく、それは外来生物にとって有利な条件です。一方、気候は原産地とは多かれ少なかれ違っているでしょう。これは不利な条件になる可能性があります。

ところがやっかいなことに、気候など環境が違っていても、原産地でもっていた性質が、侵入地の環境に合うように変わってしまうことがあるのです。まさに新たな環境への適応・

進化が起こるわけです。そのため、外来生物に対して的確な対策をとるためには、外来生物が侵入地の環境に適応する過程とそのしくみを明らかにすることが、とても重要なのです。

在来の生物の場合には、環境を大きく変えた時に、生物がどのように適応するか野外で実験するのは非常に難しいことです。そのため、ブタクサハムシのように、侵入地の新たな環境に適応して性質が変わるかもしれないことを調べるのは、壮大な規模の野外実験をするようなもので、私のような生態学者にとってはワクワクする研究といえます。一方、そのような研究によって得られる結果は、将来の外来生物対策にとっても役に立つものとなるでしょう。

新天地で進化、こんなに早く！

話をブタクサハムシに戻しましょう。この虫は、日が短くなると休眠することを前に述べました。冬が近づいていることは、気温が下がることでもわかりますが、日長(日の出から日没《にちぼつ》までの時間)を合図にしている昆虫が多いことは、次のような理由によります。

気温は日々変化していて、その季節とは思えないような暖かい日があったり、逆に寒い日があったりしますし、年によっても違います。つまり、気温をあてにしていると、季節の到来を間違える危険があります。一方、日長は規則的に変化して、季節を正確に示す物差しになります。たとえば植物には、短日になると開花するものがあります。秋になるとキクを電灯で照明しているのを見ることがあります。これは、人工的に日長を長くして、花が咲く時期を遅らせているのです。そうして、正月など冬場にキクの花を咲かせようとしているのです。

このように、生物が日長(正確には明るい時間と暗い時間の周期)に反応する性質を光周性《こうしゅうせい》といいます。ブタクサハムシが、日長に反応して休眠する性質も、光周性の一例です。

さて、ブタクサハムシの休眠する性質、すなわち光周性が変化したかを調べることは、休眠するかしないかを決める日長時間が長くなったかあるいは短くなったかを調べることです。前述した渡邊さんの論文(二〇〇〇年)には、日長一二時間ではすべての個体が、一四時間では七五％の個体が休眠し、一六時間では休眠した個体はいなかったと書かれていました。この結果から、半数の個体が休眠に入る日長(臨界《りんかい》日長といいます)は、一四時間と一六時間の間にあることがわかります。

この日長に当たる季節はいつでしょうか？　この論文で実験に使われた虫は、一九九九年に茨城県つくば市で採集されたものでした。ある場所の、日ごとの日の出や日没の時間は、国立天文台の暦《こよみ》計算室というホームページ(https://eco.mtk.nao.ac.jp/koyomi/)で調べることができます。

この時に注意することがあります。昆虫が野外で明るいと感じる時間は、日の出から日没までより長い時間です。日の出前や日没後には、やや明るい時間(薄明《はくめい》と薄暮《はくぼ》)があります。通常、日の出から日没までの時間に三〇分を加えた時間を、明るい時間としています。

一九九九年に採集されたブタクサハムシの臨界日長は、一四時間より長い時間でした。仮にこれを一四時間として、一四時間明るい、つまり日の出から日没までが一三時間三〇分にあたるつくば市の時期を調べると、八月一六日頃になりました。この時期のブタクサには、まだ葉がしげっていて、この時期に産卵しても幼虫が育って成虫になるのに十分です。このことから、私は八月半ばに休眠に入るのは早すぎると考えたわけです。

そこで、私も同じつくば市でブタクサハムシを採集して実験をすることにしました。二〇〇五年六月に本種の成虫を採集し、その系統を飼育して、次のようなやり方で実験を行いました。

日長一一時間から一五時間まで一時間間隔で設定した飼育条件をつくり、それぞれの日長条件で卵から成虫が羽化《うか》するまで虫を飼育します。温度はすべて二五℃で、卵から成虫が羽化するまで平均二三日かかります。成虫が羽化したら、オスメス一対を一組にしてシャーレに入れ幼虫の時と同じ日長条件で飼育し、メスが産卵するか毎日観察します。メスが産卵したら非休眠(休眠しない)、産卵しなかったら休眠と判定します。一つの日長条件で五〇組以上を飼育します。日長条件が五種類あると、全部で五〇〇匹以上ものたくさんの虫を飼育しなければなりませんが、判定自体はいたって簡単です。

実験の結果は、私の予測通り、いや予測を上回るものでした。休眠率(休眠したメス個体の割合)は、日長一五時間では〇％、一四時間では一％、一三時間では二七％、一二時間では八六％、一一時間では一〇〇％でした。

しかし、一回の実験で結論を出すのは早すぎます。この時に調べた虫が、たまたまそういう性質だったのかもしれません。そこで、二〇〇五年以降も実験を続けました。実験を続けた理由はもうひとつありました。光周性がさらに変化するかもしれないという期待です。二〇〇八年まで毎年と二〇一一年、二〇一二年に実験を行いました。

その結果、二〇〇五年以降は、年によって違いはあるものの、一定方向への変化は見られませんでした。この六年間の結果を平均すると、日長一三時間での休眠率は三八％、臨界日長は一二時間四九分でした。一九九九年に採集された虫では、臨界日長は一四時間以上でした。

これらの実験結果から、つくば市ではわずか六年以内にブタクサハムシの光周性が大きく変化し、臨界日長が一時間以上も短くなったことがわかりました。外来昆虫の性質が、わずか六年間で変化したのは、これまでに例のない早さでした。

一方、二〇〇五年以降は変化がなかったことから、それまでにつくば市の気候にほぼ適応してしまったようでした。このようにして、光周性が変化したことを示すことができました。

しかし、適応進化の過程を追う、すなわち光周性が年々変化していく過程を示すというもくろみは外れ、もう進化が起こったあとだったので、時すでに遅し、でした。なぜ、すぐに実験しなかったかというと、この間はほかの仕事があってすぐに着手できなかったこともありますが、まさかこんなに早く変化するとは思っていなかったためでした。

虫を調べに南へ北へ

ブタクサハムシの光周性が変化したことは、わかりました。これで一件落着？　いえいえ、まだ終わりではありません。この光周性の変化は、適応進化の結果でしょうか。これが適応的な方向への変化であることを示す必要があります。

それには、気候が異なる地域の虫の光周性が、それぞれの地域の気候に適した方向に変化したことを示せばよいのです。たとえば、寒い地域では早く冬がくるので、早く休眠に入る方向に、といったことです。そこで、つくば以外の地点で虫を採集して実験することを始めました。二〇〇九年のことでした。

できるだけ、つくばから離れた気候の違う場所で採集すれば、明らかな結果が出ることが期待できます。最初の採集地点は、熊本県合志《こうし》市でした。当時は、この研究だけに使える予算がなかったため、また思ったような結果が出る確信もなかったため、ほかの仕事で出張した空き時間に採集することを考えました。合志市を選んだのは、ほかのプロジェクト研究の会議で出張したためでした。

そこで採集した虫を実験した結果、日長一三時間で休眠率が七％と、つくばの虫が三八％であったのとは大きく異なることがわかりました。今回も期待以上の結果が出たことに勇気を得て、知人たちからの生息地の情報をもとに、青森県弘前《ひろさき》市と岩手県盛岡《もりおか》市で採集しました。実験の結果、日長一三時間での休眠率は、八七％(弘前市)と八一％(盛岡市)で、つくばとは大きく異なりました。

以上の結果は、北(弘前市、盛岡市)の地点では早く休眠に入り、南(合志市)の地点では休眠に入るのが遅いことを示しています。北の地方では、秋になって気温が低下するのが早く、また寄主《きしゅ》植物(幼虫や成虫が餌として利用する植物)も早く枯《か》れるため、早く休眠に入ることは、自然界で生きるのには都合がよく、これは適応的な変化といえます。つくばでの光周性の変化と全国四地点での光周性の違いをまとめて、論文を書くことができました。

光周性の地理的な違い(気候への適応)をさらに証明するために、採集地点を増やして実験を続けました。二〇一二年からは、この研究テーマで応募した科学研究費補助金という制度に採択《さいたく》されて、予算を獲得したため、いよいよ本格的に「虫を調べに南へ北へ」という生活の始まりです。

採集地点を増やすには、自らこの虫の生息場所を見つける必要があり、そのためにはまず、寄主植物(ブタクサとオオブタクサ)を見つけなければなりません。しかも、そのほとんどが初めて行く場所です。

みなさんは、ブタクサと聞くと、そこらじゅうに生えている雑草をイメージされるのではないでしょうか。ところが、いざ探してみると意外に多くはなく、ブタクサの生えそうな場所は、セイタカアワダチソウが占有していることが多いのです。一般の方は、花粉症の原因植物としてブタクサという名前はご存知ですが、じつはブタクサがどの植物か区別できず、

図 4-7　オオブタクサ(左)、ブタクサ(中)、セイタカアワダチソウ(右)

セイタカアワダチソウをブタクサと混同している方も多くみられます(図4－7)。

さて、初めて行く場所で、ブタクサやオオブタクサを探すのに私が用いている方法は、インターネットで®グーグルマップを活用することです。®グーグルマップは航空写真のモードにして表示することができるので、地図を航空写真のモードにして、これらの植物がありそうな河川敷、空地、道路脇などの場所の見当をつけて、事前に探すべき場所の目安をつけます。さらに、ストリートビュー(道路沿いの風景を写真で表示するインターネットのサービス)が使える場所では、実際に道路を進む感覚で、道路周囲の環境を見ていくのです。

この方法を使って、ほとんどの場所でブタクサやオオブタクサを見つけることができました。ある場所では、ストリートビューで枯れたオオブタクサが見えたため、ピンポ

図4-8　実験に使ったブタクサハムシの採集地点

イントで生息地にたどり着くことができました。

　このようにして、全国一八地点で採集しましたが、その範囲は、南北では鹿児島県指宿《いぶすき》市から北海道苫小牧《とまこまい》市まで(北緯三一度から四二度)、標高では秋田市(五m)から長野県白馬《はくば》村(八三一m)まで。また、一一地点でブタクサから、七地点でオオブタクサから、ブタクサハムシを採集することができました(図4-8)。実験の結果、採集地点の緯度が高い(北方の)虫ほど、また標高の高い虫ほど休眠率が高く、ブタクサで採集した虫はオオブタクサで採集した虫より休眠率が高いことがわかりました。

　緯度と標高の傾向は、気温が早く低下し寄主植物が早く枯れる場所の虫ほど早く休眠することを示しており、光周性の適応的な変化といえます。一方、寄主植物の違いについては、ブタクサはオオブタクサより早く枯れることから、ブタクサを食べて生活している虫の方が早く休眠することは、適応的です。

多くの地点で採集したため、緯度だけでなく、標高や寄主植物による違いも明らかにすることができました。しかし、一か所だけ、北海道苫小牧市で採集した虫の光周性は、このような全国的な傾向から外れていました。この点については、あとで詳しく述べます。

虫、クモ、人との出会い

さて、ここでブタクサハムシの話はひと休みして、私が虫の研究を始めたきっかけやこれまでの道のりについてお話しさせてください。私が子供の頃(昭和三〇年代)には、たいていの男の子は虫捕りをしていました。私も小学生の頃には、虫を捕ったり飼ったりしていましたが、それより魚捕りの方が好きでした。

もう少し本格的に虫捕りを始めたきっかけは、中学一年生の時、夏休みの自由研究としてチョウを調べたことでした。私の郷里である長野県諏訪《すわ》市で、中学校の近くの山や八ヶ岳《やつがたけ》の中腹などで採集しましたが、数日のうちにそれまで捕ったことがないチョウ(スミナガシ、コムラサキ、エルタテハ、キベリタテハ、ベニヒカゲ、コヒョウモンモドキなど)を次々と捕ることができ、そのおもしろさにすっかり魅《み》せられてしまいました。その頃、各自の将来の夢を書くことがあり、私はためらうことなく「生物学者」と書きました。

中学生、高校生とずっと虫を趣味として過ごし、とくに高校からは、チョウの卵や幼虫を捕らえて来て飼育することが好きになり、部屋の中は幼虫だらけになりました。多い時には、数十種の幼虫を飼育していたため、帰宅してから幼虫の世話をするのに夜中までかかることがあったほどです。

そして、大学受験では、チョウの先生として著名な白水隆先生がおられた九州大学を選びました。高校の担任の先生が生物の先生で、白水先生をご存知であったため、大学入学の時に紹介状を書いてくださいました。

そのおかげで一年生の時から研究室に通うことができ、虫三昧《ざんまい》の生活を送りました。大学では下宿生で、当時の学生はテレビを持っていないのが普通で、おかげでたくさんの本を読むことができました。

その中の一冊が『アメリカシロヒトリ』(伊藤嘉昭編、中央公論社、一九七二年)でした。この本は、外来昆虫であるアメリカシロヒトリという虫を材料として、昆虫学の様々な分野の研究者によって共同研究された結果をまとめたものであり、中でも私は生態学の分野の研究に興味をひかれました。そのこともあって、卒業研究では生態学研究室を選びました。

大学院は、『アメリカシロヒトリ』の編者である伊藤先生が前年に赴任《ふにん》された名古屋大学に進学しました。ここで私が研究テーマに選んだのは、昆虫ではなくクモでした。これは、伊藤先生に勧めていただいたテーマでした。そして、クモのもつ生態や行動のおもしろさにひかれていきました。

私は、大学院を出てから農林水産省の研究所に就職しましたが、大学院でクモの研究を始めたことは、研究所での仕事に大いに役に立ちました。しかし、誌面の関係でクモの研究については割愛《かつあい》します(詳しいことを知りたい方は『生態学者・伊藤嘉昭伝　もっとも基礎的なことがもっとも役に立つ』(辻和希編、海游舎、二〇一七年)をご覧ください)。

このようにして、私の人生を振り返ると、ほかのことには目もくれずに、虫やクモ一筋に打ち込んできたように思われるかもしれません。しかし、一つのことに打ち込んだり、一つのことを究めようとしたりすることは、「ほかのことには目もくれずに」とは違い、さまざまなことに精通する必要があるということを覚えておいてください。

虫を見つけるためには、その虫が食べる植物を知る必要があります。また、虫がいる場所に行くための行き方を調べ、地形から虫がいそうな場所を予測するなど、地理の知識も必要です。中学校の地理で使った私の地図帳には、全国の虫の生息地に印をつけていました。

天気予報や気象情報など、気象に関する知識も身につきました。小さい虫をピンセットでずっと扱ってきたため、手先の器用さも習得しました。虫の餌とする植物を切って水にさしておく時に長持ちさせるために、水あげという生け花の技法(茎《くき》を水の中でななめに切ったり、切り口を焼いたりする方法)を知ることもできました。一つのことをなすためには、それに関連する非常に多くの知識や技術を学ぶ必要があり、それらを楽しみながら身につけることができました。

私の虫人生では、多くの人との出会いがありました。前述した恩師の方々、中学・高校・大学時代の虫仲間、生態学や学問について切磋琢磨《せっさたくま》した大学院の友人・先輩《せんぱい》・後輩たち、水田の調査でお世話になり仲良くなった農家のみなさん、ブタクサハムシの調査などで案内や情報をいただいた友人や知人たち、さらには全国各地で調査する旅先で知り合いになった方々などです。

これらの方々に支えられて、ここまで来られたと思います。みなさんも、色々な人との出会いを大切にしてください。

謎《なぞ》解きはつづく

では、話をブタクサハムシに戻します。苫小牧で採集したブタクサハムシの光周性が、全国的な傾向から外れていたことを前に述べました。苫小牧の緯度から予想すれば、休眠率は相当に高いはずです。ところが、日長一三時間での休眠率は五七％と弘前や盛岡の虫より低く、関東北部から東北南部の虫に近い値でした。

苫小牧は、既存の生息地(一番近いところは青森県)から離れており、この虫が自力で飛んでくるには遠すぎます。苫小牧には大きな港があり、多くの貨物船が着き、本州からフェリーも運航しています。このように、物流が多いことから、何らかの物資にまぎれ込んで持ち込まれたと考えられます。そして、光周性の結果から、関東北部から東北南部あたりから来たのではないかと、私は予想しています。

このように苫小牧の虫の休眠率が低いということは、この虫が苫小牧の気候に十分には適応していない可能性があります。この時に調べた虫は、二〇一一年に採集したものでした。北海道でこの虫が初めて見つかったのは苫小牧で、二〇〇八年のことでした。苫小牧に定着してからあまり年数がたっていないことから、そこの気候によく適応していないということはありそうな話です。

私は、がぜん張り切りました。これから苫小牧で調査を続ければ、光周性が変化していく過程を見られると期待したからです。つくばで逃した適応進化の過程を追うという夢が、今度こそ実現するかもしれません。

それを証明すべく、二〇一二年以降も同地を訪れて、調査して持ち帰った虫を使い、実験を続けました。それと同時に、苫小牧からこの虫が分布を拡大するのも調査しました。

二〇一一年の時点で、北海道でこの虫が生息していたのは、苫小牧市のほんの一角(明野《あけの》元町《もとまち》)のせまい範囲で、それは二〇〇八年に見つかった場所でした。苫小牧市内や周辺の市町では、ブタクサはたくさん見つかりました。それにもかかわらず、不思議とブタクサハムシは分布を拡げていなかったのです。

さて、実験の結果はどうなったでしょうか。二〇一二〜一四年と二〇一六年に採集した虫で実験をしました。ところが、光周性は二〇一一年の虫の結果と違いがなかったのです。

なぜだろう、と私は首をかしげました。また、分布拡大調査についても、苫小牧市内に一か所(柏原《かしわばら》)だけ少数の個体が発生し続けている場所がありましたが、それ以外に分布を拡大した場所は見つかりませんでした。明野元町の生息地では、範囲はせまいものの、相当な数の虫が発生していたのです。それにもかかわらず、分布を拡大していないのは不思議でした。

苫小牧の虫の光周性が変化しない問題はひとまず置くとして、分布拡大調査であまりにも虫が見つからなかったため、私は発想を変えてみることにしました。北海道で、苫小牧とは別の場所に侵入しているかもしれないという発想です。目を付けたのは函館《はこだて》市でした。港があり、船がたくさん入港する町です。さっそく出かけたのは、二〇一四年の九月のことでした。

例によって®グーグルマップで、いそうな場所として函館市の二か所(昭和町《しょうわちょう》と古川町《ふるかわちょう》)をピックアップしました。初めに昭和町に行き、最初に調べたブタクサの株《かぶ》で、何とブタクサハムシの成虫と幼虫が見つかったのです。

もちろん、「やったあ！」と思いましたが、あまりにも簡単に見つかったため、むしろ拍子抜けするほどでした。さらに調べてみると、そのあたり一帯でかなりの数が見つかりました。そして翌日には、古川町でも見つかりました。

函館では、すでに分布が拡がっているようでしたので、二〇一五年には範囲を広げて分布を調べました。その結果、函館市内では広範囲に分布し、隣の北斗市《ほくとし》の一部にも分布していました。

ところで、函館のブタクサハムシは、私が最初に見つけたと思っていたのですが、二〇一五年一二月に、偶然に北海道の昆虫同好会誌で、函館のブタクサハムシのことを書いた報告を見つけました。何と、私が発見した一年前の二〇一三年に発見されていたのです。

第一発見者という栄誉を失って少しがっかりしましたが、私はこの報告を書かれた方(名越和夫さん)に手紙を書きました。そうしたところ、「分布調査をされるなら、私がご案内します」という、ありがたいお返事をいただきました。そこで、二〇一六年、二〇一七年と二人で分布調査を行いました。

名越さんは、私より少し年長の方で、会社を退職されたあとで、以前の趣味であった昆虫(甲虫)採集を再開されて、第二の人生を楽しまれていました。また、勤められていた会社では、道路の法面《のりめん》に植物の種子を吹き付けて緑化するようなお仕事をされていたとのことでした。そのため、北海道の道路を知りつくしておられ、分布調査の案内役としては最高の方でした。調査をしながら、虫の話や会社の話などで盛り上がり、本当に楽しい調査ができました。

調査の結果も芳しく、予想以上に分布が拡がっていることがわかりました。北へは八雲町《やくもちょう》の中部まで(函館から直線距離で六一km)、西へは厚沢部町《あっさぶちょう》を経て乙部町《おとべちょう》と江差町《えさしちょう》の一部まで(函館から五七km)発見できました(図4-9)。苫小牧の虫と違い、函館周辺では分布が拡がっていることが確認できました。

それでは、函館の虫の光周性実験の結果はどうであったかというと、日長一三時間での休

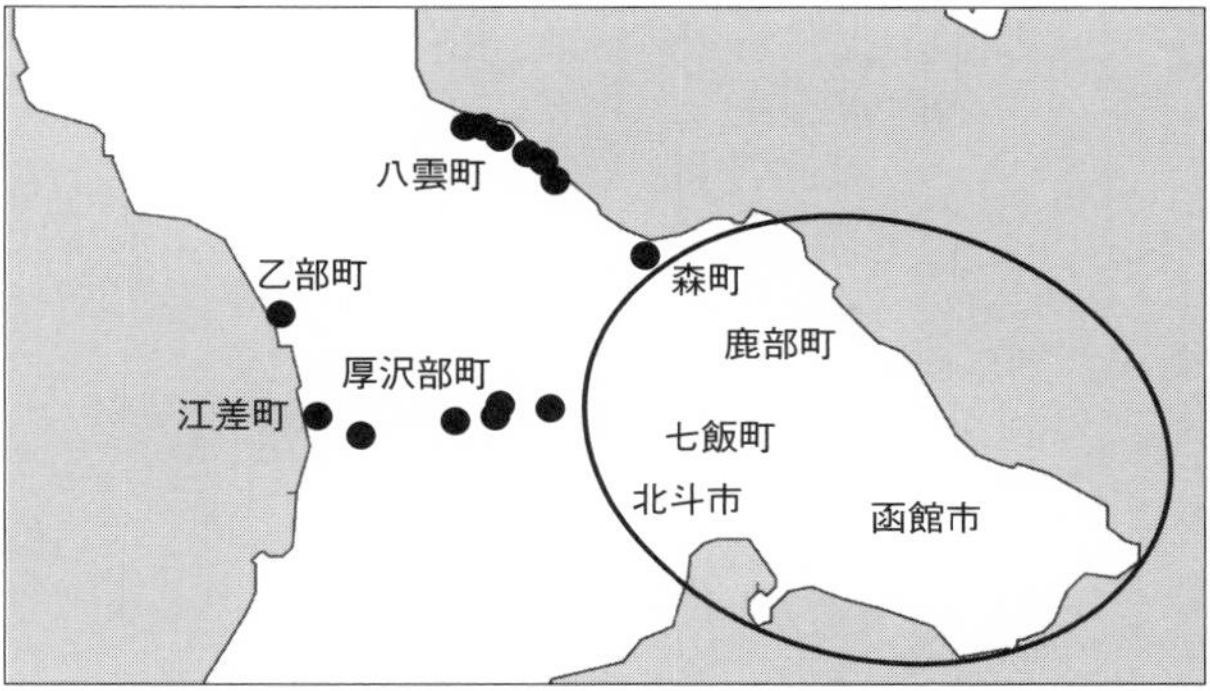

図 4-9　函館市周辺におけるブタクサハムシの分布拡大。円内は 2014 年までの分布地。黒丸は 2016 年と 2017 年に発見した地点

眠率が八九％であり、苫小牧の虫とはまったく異なり、弘前の虫に近い値でした。この結果から、函館の虫は苫小牧の虫とは違う経路で入ってきたと考えられます。おそらく、東北北部、とくに青森県から来たのではないかと、私は予想していまず。この結果なら、函館の虫は、函館の気候に適応しているといえそうです。

しかし、そうだとしても、まだ解決すべき問題が残っています。苫小牧の虫の光周性が、なぜ変化しないのか、という問題です。私は、函館と苫小牧のブタクサハムシは、それぞれ違うやり方で北国の気候に適応しているのではないか、という仮説を立て、それを証明するために実験を続けています。

このように、次々と疑問がわいてきて、謎解き

は続きます。このような謎解きは、謎が解けた時のうれしさもありますが、ああだろうか、こうだろうかと、考えをめぐらす過程が、私にとっては楽しいものです。

私は今六五歳、あと何年研究を続けられるかわかりませんが、可能な限り、楽しい謎解きを続けていきたいと思っています。

コラム　旅する虫

昆虫には、外来昆虫のように人為的に持ち込まれるものだけでなく、自力で海を渡って移動するものがいます。

写真の虫はアサギマダラというチョウで、奄美《あまみ》大島《おおしま》へブタクサハムシの調査で行った時に見つけたものです。翅《はね》に文字が書いてあります（図4-10）。暗号のような記号ですが、じつはこの記号から、和歌山県で一〇月一二日（見つけた日の一八日前）に捕獲され、マークを付けて放された個体であることがわかりました。

アサギマダラは、海を渡って移動することがわかってきたため、その移動コースを調べるため、このようにマークを付けて放し、全国ネットで調査がされているのです。

この個体は、写真を撮ってマークを確認したあと、再び放しました。

同じように長距離を移動する昆虫として、ウスバキトンボが知られていますが、移動コースなど詳しいことはわかっていません。

また、イネの大害虫であるウンカ(トビイロウンカやセジロウンカ)は、中国大陸の南部から日本に飛来します。体長三㎜ほどの小さな虫で、さすがに自力というわけにはいかず、下層ジェットという風に乗って移動します。

図4-10　奄美大島で2015年10月30日に見つけたアサギマダラ。翅に書かれたマークから、10月12日に和歌山県で放されたものであることがわかった

さらには一部のクモ(アシナガグモ類)も、中国大陸から飛来することがあるようです。クモが空を飛ぶのか、と思われるかもしれませんが、クモは腹部の先から吹き流しのような糸を出し、それにぶら下がって空を飛

ぶことができるのです。

小さな昆虫などが空を飛んで移動するのを調べるのは難しく、とくに長距離の移動については、わからないことがたくさん残っています。

第５章

多様なムシの集まり、食うか食われるか！

虫送り（提供：柏田雄三氏）

ただの虫のただならぬ働き――農業害虫と天敵《てんてき》

桐谷圭治

ただの虫

「十で神童《しんどう》、十五で才子、二十歳《はたち》過ぎればただの人」

これは、幼少時代は並外れてすぐれているように見えても、多くは成長するにつれて平凡な人になってしまうことのたとえで、親ばかをいましめたことわざです。「ただ」はこのように特に注目されない、平凡なものを表すのに使われるようです。

昆虫でも大型で美しく数が少ない種は貴重種としてマニアの採集対象になりますが、小型、ジミな色合い、どこにでもいる種は「ただの虫」で、あまり注目されません。

じつは「ただの虫」が学問上の言葉として登場したのは、私が雑誌『婦人之友』(婦人之友社、一九七二年二月号)に「総合防除《ぼうじょ》とは害虫をただの虫にすることである」と書いたのが初めだと思います。

しかし「ただの虫」の定義となると難しいのです。消去法で、害虫でも益虫でもない昆虫としておきます。害虫も益虫も「ただの虫」も相対的なもので、トノサマバッタのように同じ種が、二つの顔を持つ場合もあります。

トノサマバッタは、普段はただの虫に過ぎないのが、大発生すると何千万の個体が群飛《ぐんぴ》をして農作物を食い荒らす大害虫になります。このことは、ある決まった面積あたりの虫の数が「ただの虫」かどうかの物差しの一つであることを示しています。

「やれ打つな蠅《はえ》が手をすり足をする」

このように、ただの虫と害虫を定義するのはとても難しいのです。病気を媒介《ばいかい》するハエなどは、害虫として認識されやすいかもしれません。

この見出しにある句は、江戸時代の俳人・小林一茶《こばやしいっさ》の俳句です。「手をすり足をする」のは、私が子供のころはよく目にしたイエバエの行動です。ちゃぶ台に置いた食べ物は、小型の蚊帳《かや》をかけておかないとすぐハエがとまります。

ひとくちにハエといってもイエバエ、ニクバエ、クロバエなど多数の種がふくまれています。イエバエは料理クズなどの家庭ごみ、たい肥や家畜小屋などにいます。くみ取り式の肥《こえ》だめではセンチニクバエやクロバエが発生します。したがって、これらのハエは赤痢《せきり》や疫痢《えきり》の伝染病を媒介する危険性があったのです。

「五月蝿い」と書いて「うるさい」と読ませるぐらい、当時はハエがいたものです。今では、水洗トイレで、家庭ごみもゴミ袋に分別されハエの居所がなくなって、「ただの虫」どころかめずらしい虫になっています。このことからわかるように、殺虫剤を使うより、居場所をなくすことが虫にとっても致命的なのです。

では、害虫と益虫とただの虫とは、どのくらいの割合でいるものなのでしょうか？『田んぼの生きもの全種リスト』(桐谷圭治編、農と自然の研究所、二〇〇九年)によると、動物の総種数二四九五のうち、昆虫・クモ類は、一八八九種が挙げられています。そのうち害虫は、『農林有害動物・昆虫名鑑　増補改訂版』(日本応用動物昆虫学会編、日本植物防疫協会、二〇〇六年)によると一七七種、益虫は、『日本産害虫の天敵目録　第一篇　天敵・害虫目録』(安松京三・渡辺千尚編、九州大学農学部昆虫学教室、一九六四年)によると一五五種、差し引くと一五五七種、八二・四％が「ただの虫」に入り、圧倒的シェアを占めています。

ですが、「ただの虫」は、単に害虫でも益虫でもない昆虫というだけで、無意味な存在ではありません。生態系において彼らが果たしている役割を我々がよく知らないだけなのです。

「ただの虫」と害虫、益虫

では、「ただの虫」は一般に、どれくらい認識されているのでしょうか？　二〇一七年に岩波書店から出版された『広辞苑《こうじえん》』第七版に「ただの虫」という項目が収録されているかどうかを調べてもらったのですが、見当たりませんでした。それで、その知名度をインターネットで調べてみました。

二〇〇四年三月に私は『「ただの虫」を無視しない農業——生物多様性管理』(築地書館)を出版しました。その翌年には、「ただの虫」は五〇〇件程度がヒットするぐらいでしたが、出版五年後の二〇〇九年一月には、一万件に達していました。さらに一三年後の二〇一七年末には七一万五〇〇〇件で、益虫の七三万三〇〇〇件と肩を並べていました。

同時に検索した昆虫、害虫、益虫は、二〇〇九年から一七年までの八年間にほぼ四倍に増加しているのに比較して、ただの虫は七一倍にも増えて世の中に根を下ろしています。

くわしくは後述しますが、ほんらい無害だったはずのツマグロヨコバイや斑点《はんてん》のある米をもたらすカメムシ類などのただの虫が、害虫となって作物などに被害を与える事例が観察されています。

私が昆虫の研究を始めた動機は、なぜ「ただの虫」が「害虫」とよばれるようになったのか、いわゆる「害虫化」の原因とプロセスを探ることでした。それがわかれば、逆手《さかて》にとって害虫を非害虫化すなわち「ただの虫」に戻すこともできるはずです。

ただの虫のただならぬ働き

益虫には、ミツバチなどの花粉媒介虫、クモなどの捕食者《ほしょくしゃ》、卵や幼虫に寄生《きせい》するハチやヤドリバエなどの寄生者、フン虫やシデ虫などの分解者などが含まれます。捕食性や寄生性の昆虫は天敵といわれ、その餌《えさ》や寄主《きしゅ》(寄生される側の生物)には植食性(植物を食べる)の害虫が多くいます。

この関係を利用したのが害虫の生物的防除です。ここでは「害虫なしには天敵なし」どころか、餌である害虫が少ない時に、その代替となる「ただの虫」がいないと天敵も生きていけないのです。

たとえば、水田に沢山いるコモリグモは、イネの病気を媒介するツマグロヨコバイ(図5-1)の有力な天敵です。田んぼでその捕食活動を徹夜で観察すると、夕刻から捕食活動が盛んになり、その食物メニューの七、八割をヨコバイが占めていました。

　そこでコモリグモ孵化《ふか》幼生にツマグロヨコバイを与えて飼育しましたが、成虫になりません。ところが水田にいるユスリカなどの「ただの虫」を餌に加えてやると成虫になります。またメス成虫も、ツマグロヨコバイを与えるだけでは産卵数は少なく、幼生と同様にユスリカを加えて与えると、産卵数は飛躍的に増えるのです。

　つまり天敵が有効に働くためには、「ただの虫」をふくめた多種多様な昆虫が餌として必要ということです。ヨコバイだけを餌にしてクモを大量に増やし、増やしたクモを田んぼに放すことでヨコバイを減らそうと考えていたのですが、私たちは自然を甘く見すぎていました。

図 5-1　ツマグロヨコバイ

害虫防除の歴史

害虫の出現

このように自然のしくみは一筋縄ではいかないものですが、これまではどのように害虫と向き合ってきたのでしょうか？

江戸時代、「虫がわいた」といわれるように、虫は自然に発生するものだと考えられていました。そのため害虫による作物への被害はたたりとされ、それを防ぐ方法は田んぼにお札を立てるという神頼《かみだの》みだけだったのです。その名残《なごり》が今でも「虫送り」の行事として残っています（**本章扉絵**）。

現在では誰もが知っている害虫という言葉は『害虫の誕生――虫からみた日本史』（瀬戸口明久、筑摩書房、二〇〇九年）によると、明治二一～二四年（一八八九～九一）に出版された日本最初の国語辞典『言海』（大槻文彦編、自費出版）にはみられないそうで、明治二九年（一八九六）には日本政府から「害虫駆除《くじょ》予防法」が発令されているので、害虫の認識は明治の二〇年代後半（一八九〇年代前半）から始まったと考えられます。

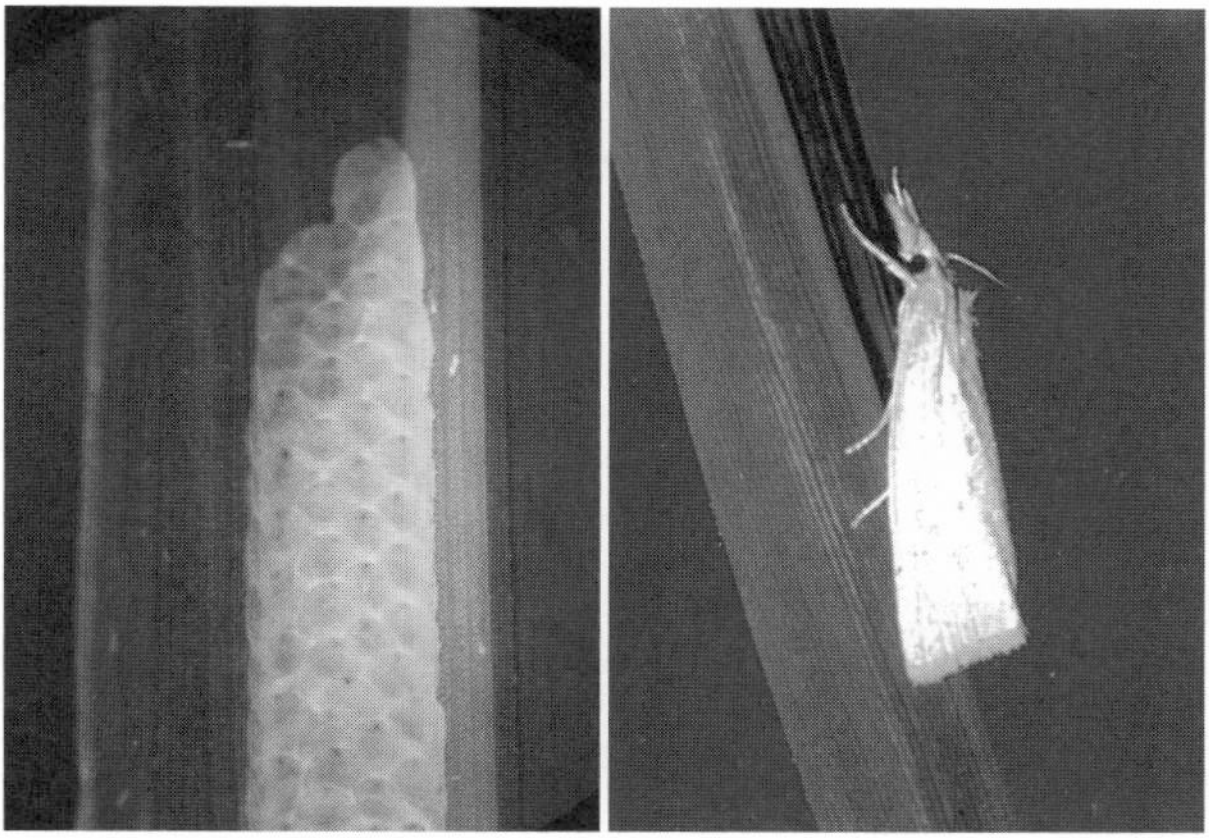

図 5-2　ニカメイガの卵塊と成虫（写真提供　左：池田二三高氏、右：田付貞洋氏）

　戦前は、害虫からいかに作物を守るかという「作物保護」の時代で、イネの茎《くき》から汁《しる》を吸うウンカという害虫は石油を田んぼに流して水面にたたき落として防除していました。短冊形《たんざく》に作られたイネの水苗代《みずなわしろ》は、イネを食害するニカメイガ（図５－２）の卵塊《らんかい》を両側から手で取れるように、その幅が約一・二ｍに決められていました（図５－３）。この時代には、赤トンボもホタルも普通にみられたものです。

　ところが戦後になると、ＤＤＴやＢＨＣなどの化学農薬が開発され、害虫を効果的に殺すことができるようになり、守りの防除から攻めの防除に変わります。農家もこれを「消毒」すると言い、行政・民間ともに、作物以外の生物は皆殺しにする消毒思想にまみれて

図 5-3　苗代。両側からニカメイガの卵塊や追い出した成虫を採集しやすいよう工夫して、幅が 1.2 m になっている

しまったのです。

そして、「消毒することは良いことだ」という錯覚《さっかく》で、過剰《かじょう》な農薬依存に落ち込みました。その結果は、次に述べる三つのＲです。

農薬がもたらした三つのR

これらの殺虫剤は劇的な効果を示したので、害虫防除にかかわっていた研究者や技術者は、いずれ害虫がいなくなって、失業するのではないかと真剣に心配したものです。ＢＨＣは、後述のように一九七一年に全国的に使用禁止になるまで、ニカメイガを中心とする水稲《すいとう》害虫防除の基幹農薬でした。水稲用の混合剤(二種類以上の農薬を混ぜ合わせた製剤)も、すべてＢＨＣを基調にしていました。

ＢＨＣなどの有機塩素系の殺虫剤の特徴は、㈠価格が安いこと、㈡広範囲の害虫に効果があること、㈢長期間の残効性があることです。これらの長所は、逆に㈠農薬の乱用や過剰散布により害虫の抵抗性を発達させ、㈡害虫ばかりか天敵や「ただの虫」を殺し、㈢食品や環境そして母乳の汚染までもたらしました。

これを、抵抗性(Resistance)、誘導異常発生(Resurgence)、残留性(Residue)から、３Rとよびます。

農薬に強くなる

殺虫剤に対する抵抗性の発達では、ニカメイガが日本で最初の農業害虫でした。抵抗性の発達は、散布濃度や回数の増加をもたらしました。残効性も加わって、天敵を含む多種類の非標的昆虫、トンボ、ホタル、タガメ、ゲンゴロウなどの水生昆虫をも、絶滅《ぜつめつ》の危機にさらすことになりました。

天敵や水生昆虫も抵抗性を発達させればいいのでは、と考える人もいるでしょう。抵抗性は遺伝子《いでんし》の突然変異《とつぜんへんい》(遺伝子の変異《へんい》によって、生物が親世代までになかった形質を獲得すること)によってもたらされます。ひとつの集団における突然変異の頻度《ひんど》は一〇万分の一と言われています。農薬の散布ごとに抵抗性遺伝子を持った個体が生き残っていき選抜されるのです。

じつは害虫は一年に何世代もくり返し発生する種が多いのです。ウンカやヨコバイ類は三、四世代に対し、水生昆虫は年一世代です。言いかえれば害虫は、水生昆虫よりも三、四倍の速さで抵抗性を獲得するのです。

さらに、寄生蜂《きせいほう》のように害虫に寄生するタイプの天敵では、農薬散布で生き残った寄主(害虫)に寄生している抵抗性遺伝子を持った寄生者ということになるので、その頻度は一〇万×一〇万分の一となり、ほとんど抵抗性の発達は期待できません。

害虫に抵抗性が発達すると、殺虫効果の落ちた農薬は殺虫作用が異なる新しい化合物に置きかえられます。ですがやがてそれにも抵抗性が発達するという「農薬と害虫のいたちごっこ」におちいってしまいます。農薬メーカーが最も恐れているのは、多額の費用をかけて開発した農薬が抵抗性発達のため効果がなくなることです。

他方、天敵や水生昆虫などはどんどん少なくなっていくのです。天敵が少なくなれば、害虫の密度が高くなります。そして、ますます農薬が必要な悪循環になってしまいます。

農薬をまくと害虫が増える?

先に少しふれましたが、この悪循環の結果、ただの虫が害虫になってしまうことがあるの

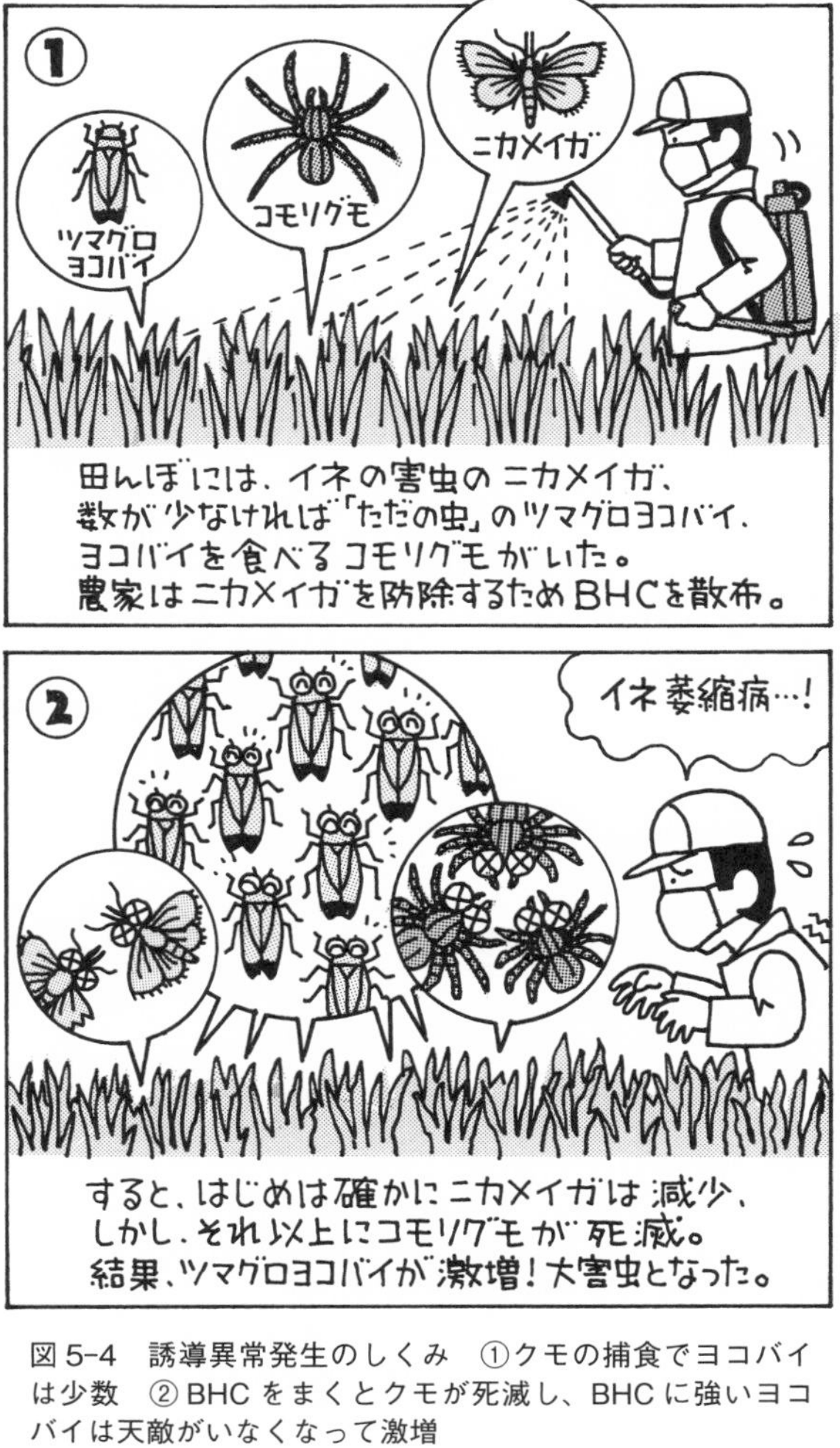

図5-4 誘導異常発生のしくみ ①クモの捕食でヨコバイは少数 ②BHCをまくとクモが死滅し、BHCに強いヨコバイは天敵がいなくなって激増

です。そのしくみを説明しましょう。

殺虫剤は害虫ばかりでなく天敵も同時に殺すために、それまでその天敵によって「ただの虫」にとどめられていた種が、天敵から解放されて異常な高密度になり、害虫化する現象を誘導異常発生(リサージェンス、図5-4)といいます。

ニカメイガにいちじるしい効果を示したBHCは、クモ類にもそれ以上に高い毒性を示すため、クモ類に抑えられていたツマグロヨコバイの激増を西日本各地でもたらしました。ツマグロヨコバイを殺すには、ニカメイガの四倍、大型のコモリグモの一〇〇倍の濃度のBHCが必要なほど、ツマグロヨコバイはBHCに強いことが実験でわかりました。

ヨコバイが増加し始めた時期は、ニカメイガの防除にBHCが使用されだした一九五〇年ごろからです。ツマグロヨコバイはイネのウイルス病であるイネ萎縮《いしゅく》病を媒介するため、たとえ低密度でも被害は大きく、関東以西ではニカメイガに代わる大害虫となりました。

BHCの使用禁止

「一掬《すく》い一升《しょう》」

一九六六年四月に私は前任地の和歌山県農業試験場朝来《あっそ》試験地から新たな任地、高知県に赴任《ふにん》しました。「一掬い一升」とは、当地の害虫担当者から聞かされた言葉です。田んぼで捕虫網《ほちゅうあみ》を一掬いするとムシが一升入るというほど高知は害虫が多いというのです。

何しろ米の二期作地帯で三月から一一月までイネがある土地柄で、日本の他の土地では二カメイガも名の通り年二回の発生ですが、高知県では三回発生します。高知県人は一徹者(いごっそう、という)が多いから、当時は共同防除の名のもとに、散布機を持った農民の集団が一列にならんで、田んぼもあぜも溝もふみ越えて農薬のじゅうたん散布を実行していました。

その結果、高知県のツマグロヨコバイは、防除薬剤のマラソン(有機リン剤)に抵抗性を獲得し、日本ではイネの害虫の抵抗性発達事例としては、香川県のニカメイガについで二番目のものでした。

当時の高知県は新農薬の試験場でした。抵抗性の害虫に有効な新薬の開発のための田んぼでの試験では、イネの二期作は年度初め(四〜五月)の試験や夏から秋の追加試験にも有利です。したがって日本の新農薬開発の最先端に立っていました。赴任しておどろいたのは、抵抗性害虫の存在を防除に熱心な証拠として、当時の責任者は胸を張っていたのです。

農林省(現・農林水産省)はこのため「ウンカ・ヨコバイ類の薬剤抵抗性発達機構の解明」を目的とした研究室を高知県に設置したのです。

私は抵抗性の発現機構を解明しても、新農薬の開発の後始末をするだけで、むしろ抵抗性の発達を抑えることを研究の目標にするべきだと考えました。またたとえ抵抗性が発達しても、実害がない程度に害虫の密度を低く保持できれば目的は達成できるはずです。

そのためには、農薬一辺倒から脱却して、天敵などの自然の制御《せいぎょ》要因も利用し、農薬も天敵などに影響の小さい選択的農薬を必要最小限に使う、いわゆる総合防除(Integrated Pest Control)をめざすべきだと考えました。

「売らない、買わない、使わない」

あらかじめお断りしておきますが、この章の内容はおおよそ五〇年前のことで読者の多くはまだ生まれていません。

高度成長を謳歌《おうか》していた日本では、働き手は都会に流れ、農村は三ちゃん(じいちゃん、ばあちゃん、かあちゃん)農業で、人手が不足していました。BHCは乳剤タイプや粉剤タイプで機械を使って散布されていましたが、一九六〇年に手でまくことができる粒剤《りゅうざい》タイプが開発され、三ちゃん農業下で急速に普及しました。粒剤なら水田で自由生活をしているクモにも付着することなく安全であるというふれこみでした。

粒剤は水に溶けて、イネに吸収され、茎内部にいるニカメイガ幼虫だけを殺す選択的殺虫剤として再登場したのです。こうしてクモ類に安全なＢＨＣ粒剤が普及したにもかかわらず、ツマグロヨコバイが減少するきざしは見られませんでした。

私たちは、ポット植えのイネに通常使用される量のＢＨＣ粒剤を施用《せよう》し、このイネを三日間、ツマグロヨコバイに吸わせ、このヨコバイをクモに与える実験をしました。もちろん、ＢＨＣに強いヨコバイはピンピンしているのですが、これを捕食したクモは死ぬことがわかりました。施用後三週間たったイネでも、それを吸ったヨコバイを食べたクモを殺すのに十分なＢＨＣが残っていました。

これが、ＢＨＣが全国的に使用禁止となる二年前に高知県で先行的に禁止した理由です。この実験を行った時、ＢＨＣを施用しない無処理区も作っていました。ところが、ツマグロヨコバイは研究室内で慎重《しんちょう》に飼育したにもかかわらずＢＨＣに全く汚染されていないヨコバイは得られませんでした。餌の芽出しを育てる水道水も汚染されていたのかもしれません。環境汚染の恐ろしさを実感しました。

赤ちゃんが危ない

一九六八年の暮れ、われわれとはまったく独立にＢＨＣなどの食品残留を調べていた県の衛生研究所の研究陣によって、牛乳中にかなりのＢＨＣが残留していることが報告され、一挙に社会の注目をあびました。

初めは検定法が公認されたものがないとか、精度がどうとか、政府に近い権威ある研究者たちのネガティブな談話が出ていましたが、やがてそれも当時としては最高の技術水準で行われていることがわかるにつれ、その波紋はますます広がり、ついには人体脂肪や母乳の汚染まで明らかにされ、問題の根深さがうき彫りにされていきました。

読者のみなさんも、ＢＨＣを使う農家の主婦の母乳が最も汚染されていたと思うでしょう。ところが実際に最も汚染されていたのは、西日本の消費者の主婦の母乳でした。

その理由として、肉牛の餌として与えた稲わらをとおして、ＢＨＣは牛の体内、特に脂肪に蓄積します。この現象を生物的濃縮《せいぶつてきのうしゅく》といいます(図5-5)。当時、牛肉の消費は関西、豚《ぶた》肉《にく》は関東にかたよっていました。そして牛肉は農村でより都会で消費されていました。さらに母乳はＢＨＣが溶けやすい脂肪の濃度も高いのです。

イネの茎の中に
ニカメイガの幼虫がいる
コメもやや
汚染される
水
土壌
① 幼虫防除のため
田んぼに
BHC粒剤をまく
② 水と土壌に
BHCがとりこまれ、
イネにとりこまれる
③ 汚染された稲わらを
牛が食べる
MILK
④ 牛肉、牛乳が汚染される
⑤ それらを食べて
母親、さらに母乳が
汚染される！

図 5-5　生物的濃縮のしくみ　① BHC 粒剤を水面にまく　②土壌中の BHC 濃度は 0.9 ppm だが、わら内は 6.0 ppm に濃縮される　③わらを食べた牛の脂肪には 13.7 ppm、牛乳には 9.8 ppm に濃縮　④これらの米、牛肉や牛乳を摂取した母親の母乳には 12.2 ppm に濃縮

つまり、ニカメイガ↓BHC粒剤↓稲わら↓牛↓人↓母乳↓乳児という食物連鎖《しょくもつれんさ》を通じ、しかも生物的濃縮をともないながら、汚染は人にまで及んだのです。「風が吹けば桶屋《おけや》がもうかる」といいますが、生態系の因果関係の複雑さと生物間の相互依存性を思い知らされたできごとでした。

昭和四四年(一九六九年)度からは水稲だけでなく、県内のすべての作物でBHCなどの有機塩素系殺虫剤の使用を止めることを高知県が決めました。その理由は、BHCの使用は天敵相の破壊によって、農薬と害虫の悪循環を深刻化する恐れがあること、我々が世界で初めて示した食物連鎖によるクモの中毒死のように、食品中の残留毒性が近い将来問題になるという認識からでした。

こうして曲がりなりにも出発した自主規制のおかげで、県内のBHC使用量は前年の三分の一程度にまで減りました。食品や母乳のBHC汚染は、県の自主規制の追い風になり「売らない、買わない、使わない」の合言葉のもとに、塩素系殺虫剤は県下から完全に追放されました。

やはり禁止の効果はあった

高知県のBHCの規制は、全国的にその使用が禁止された一九七一年に先立つこと二年でした。規制前の一九六八年度の玄米中のBHC濃度は〇・一八ppm、一九六九年度は〇・一三ppmで規制初年度の効果はまだ十分ではありませんでした。しかし、一九七〇年には一桁下がって〇・〇三四ppmと規制前の五分の一になり、全国一五か所から集めた自然農法米では〇・〇二八ppmで、高知の米は自然農法米と変わらなくなりました。

天敵への影響を研究所内の無農薬水田でみてみますと、一九六八年から七一年の四年間では、ツマグロヨコバイの第四世代(その年に発生した四番目の世代)の卵において寄生蜂による寄生率がもっとも高くなります。はじめは一七・五%だったのが三年目には八三・七%にまで回復し、ツマグロヨコバイの卵密度も株《かぶ》あたり九〇九卵が四五五卵と約二分の一に減少しました。

図5-6　キクヅキコモリグモ

他方、同じくツマグロヨコバイの天敵であるキクヅキコモリグモ(図5-6)も年々増加しましたが、回復速度は卵寄《らんき》生蜂《せいほう》にくらべるとおそく、最高密度でみると、一九六八年は株あたり二頭、七一年には五頭、六年目の一九七三年には一〇頭にまで回復しました。

ＢＨＣに代わって天敵に影響の小さい殺虫剤の使用も高知県では現実のものとなり、農薬の散布回数もそれまでの半分に減らすばかりか、使用濃度も二分の一、あわせて従来の四分の一にしても、収量は低下しない防除が可能だということが、ＢＨＣ規制以来の三か年の実地検討で明らかになりました。

ＢＨＣ使用規制への抵抗

もっとも自主規制への道はそう容易なものではありませんでした。日本のＢＨＣ生産量は世界一で一九六八年には四万六〇〇〇トン、減反《げんたん》前の水田面積三〇〇〇万ヘクタール（四国全体の面積が約一八八万ヘクタール）に最低一回半散布できる量でした。業界ではこれから飛躍的な大量生産に入ろうとしていました。

私は出席していた東京での学会からよび戻され、県庁での査問委員会のようなものに出頭を命じられました。農林省の所管課から、県の植物防疫係に私の学会シンポジウムでの発言などをふくめ、逐一《ちくいち》いろいろな指示がなされていたようで、最後は「始末書を書け」といわれました。私は何らやましいこともないので、始末書は書かないが、顚末書《てんまつしょ》なら書くといって、研究から得たBHCの悪影響についての見解を文書で提出しました(もっとも、辞書を見ると始末書も顚末書も同じ意味だと後で気がつきました)。

業界新聞には農林省植物防疫課長が明らかに私を名指しに近い形で非難する記事を書いていました。当時の農林省の局長が私の書いた『婦人之友』の記事で社会党に国会で責められ、私を一四年間高知から転勤できないようにしました。

これが逆に研究の励《はげ》みになり、スタッフの中筋房夫君はツマグロヨコバイが媒介するイネ萎縮病の疫学的研究で、笹波隆文君はツマグロヨコバイの個体群動態機構のシステム分析で、川原幸夫君は水田生息性クモ個体群の生態で、それぞれ京都大学から農学博士号を授与されました。私は前任地の和歌山県でのカメムシの研究で日本応用動物昆虫学会賞を、また水稲害虫の個体群動態に関する研究で日本農学賞を授与されました。また後には中筋君も高知での研究が評価され上記の学会賞、農学賞をうけられました。

有機塩素系農薬はその後土中に埋没《まいぼつ》処理され、二〇〇八年の調査では一〇都道県での土中埋没量は二〇八〇トン残っていましたが、高知県では使用禁止前に流通禁止にしたため、埋没農薬はゼロだったそうです。

生物多様性への認識の高まり

地球上には三〇〇〇万種ともいわれるいろいろな生物が生息しています。その存在の様子を生態系の多様性、種の多様性、遺伝子の多様性としてとらえることができます。一九九二年にブラジルのリオデジャネイロで開かれた環境サミット(環境と開発に関する国際連合会議)で、生物多様性条約の枠組みができました。生物多様性は二一世紀のキーワードの一つとして自然環境のみならず、それと密接な関係を持つ農業生産の場でも、無視できなくなりました。

多様な生物相といえば、熱帯地域のジャングルを思い浮かべる人も多いことでしょう。温帯圏の日本では手つかずの原生林にそれを求めてきました。ところが生物多様性に最も富んでいるのは、私たちが日ごろ親しんでいる水田や雑木林などさまざまな環境が混在している里地・里山であることが最近の研究で明らかになってきました。農業は自然破壊の最たるものという従来の考えをくつがえす、画期的な発見で、農業、林業抜きには生物多様性を語れなくなりました。

明治時代までは三五〇万ヘクタールもあったススキ草地は、現在では十数万ヘクタールにまで減少しています。モンスーン気候の日本では、ススキ草地は放置すると森林になります。

草地を維持《いじ》するには、山焼き、草刈りなどの人為的撹乱《じんいてきかくらん》が不可欠です。しかし、生活様式が変わって、ススキの生産地、すなわち茅場《かやば》は燃料、屋根の茅葺《かやぶき》材料、牛馬の飼料などの生産地としての役割が失われたため、現在残るススキ草地は観光事業としての山焼きなどでやっと維持されています。

環境省の絶滅危惧《きぐ》種を集めたレッドデータブック（二〇一八年）には、昆虫類は八七〇種が挙げられています。少し古いのですが二〇〇六年のレッドデータブックでは、三九二種の昆虫類のうち六二種（一六％）は草地の生息種です。これ以外にも、草地にはそこを好む多くの種が生息しています。

もしこの勢いでススキ草地が失われていけば、遠からず絶滅危惧種のみならず、これらの草地生息種も草地の消失とともに滅びることになります。山焼きや草刈りなどの人の管理が生物多様性の保持にも必要なのです。

総合的生物多様性管理への道

こうした生物多様性の重要さなどが広まるにつれ、農薬一辺倒の害虫防除の反省として減農薬と共に、農薬に代わる技術、すなわち天敵、害虫に対する抵抗性を持った作物の品種、その他の伝統的技術も含め、これらを総合的に利用して害虫を低密度に管理しようという総合的害虫管理(ＩＰＭ＝Integrated Pest Management)が一九六〇年代から提唱されだしました。はじめに述べた総合防除はその始まりです。

ＩＰＭでは、採算を無視した消毒主義ではなく、農薬防除に使った費用以上に増収が期待できるときにのみ防除するという経済的視点が重視されます。この基準となる害虫密度を経済的被害許容水準(ＥＩＬ＝Economic Injury Level)とよんでいます。この水準以下の害虫密度なら、「ただの虫」とみなすわけです。消毒主義的害虫防除からの脱却のキーワードでもありました。

図5-7　タガメ(提供：日高一雅氏)

ＩＰＭでは天敵の餌や代替寄主になる「ただの虫」も温存する必要があります。しかし、しばしば生産を最終目的とする農業では防除が自然保護、保全と対立します。過去に暖地のイネの大害虫であったサンカメイガが、ＢＨＣによって絶滅しても、害虫であったがために問題にされません。

他方、小魚や小動物を捕食する水生昆虫のタガメ(図５‐７)は今では希少種《きしょうしゅ》で村おこしの旗印《はたじるし》にされていますが、以前は養魚場の大害虫で防除の対象でした。

これらの事実は、経済的視点に立ったＩＰＭから、害虫、天敵、直接生産に関係しない「ただの虫」の管理をも含めたより高い レベルの「総合的生物多様性管理」(ＩＢＭ＝Integrated Biodiversity Management)に発展させる必要性を示しています。

害虫もただの虫も紙一重《かみひとえ》

第二次世界大戦以後は、農地をとりまく状況が急激に変わり、害虫あるいは希少種といわれるものも、上述のように、その地位が逆転する場合もあることが明らかになってきました。

水田を例に考えてみましょう。農薬とともに、「コメ一俵《いっぴょう》増産」運動に動員された早植えや品種の変化、植え付け・収穫の機械化などの一連の耕種技術によって、ウンカと並んでイネの二大害虫のニカメイガは、十数年で予想外の低密度になりました。今ではその絶滅が話題になるほどの「ただの虫」に近づいています。

他方、日本南部で猛威《もうい》をふるったサンカメイガは日本本土から姿を消し絶滅しました。しかし、ともに「ただの虫」になれば、もはや害虫でなく、それらを絶滅に追いやる正当性はありません。同じような運命をタガメ、ゲンゴロウ、メダカなどの水田水生生物も共有しています。害虫防除と同じぐらいの努力をこれらの生物の保全に傾けようというのがＩＢＭの考えです。

稲穂の籾《もみ》は、カメムシに吸汁《きゅうじゅう》されると、吸汁のあとに細菌《さいきん》が繁殖《はんしょく》します。そのため米粒が変色します。このように籾を吸汁するカメムシ類を斑点米《はんてんまい》カメムシと言いますが、その中でも有名なミナミアオカメムシ(図5-8)は、一九五〇年代に西日本南部で再発見されるまで約八〇年間採集記録もない「ただの虫」でした。果樹の害虫ツヤアオカメムシに至っては「海岸地帯にみられるハマユウで育つ」と信じられていた希少種でした。この両種とも今では最も普通の害虫です。そのわけは土地利用の変化にあります。

図5-8　ミナミアオカメムシ

六〇種もいる斑点米カメムシの多発生は、一九七〇年からのコメの生産過剰で、その繁殖地となる休耕地が減反政策で増加したのが原因です。その面積は全国で三四万ヘクタールに達しています。

　また政府が奨励《しょうれい》した一九六〇年代の拡大人工造林の政策により、日本の全森林面積の四割を占めるまで増加したスギやヒノキの植林が、二〇年後にその結実年齢をむかえ、その球果《きゅうか》で生育する果樹カメムシ類の激増をもたらしました。現在の最大の害虫カメムシの発生は、水田とか果樹園そのものでなく、これらの農業生態系の外側で起こっていたのです。

　この拡大人工造林は、果樹カメムシ問題以外にも、苗木を植えるための雑木林の伐採《ばっさい》や開墾による草地化はシカの激増、針葉樹の生育にともなう下草の減少などがノウサギの激減、さらに読者の四、五人に一人は悩まされている花粉症《かふんしょう》をもたらしました。

生態系内外の多様性の必要性

「ＢＨＣの使用禁止」の項で紹介したキクヅキコモリグモは、多様な餌種の存在がその生存には必須条件でした。

　ところでこんな事例もあります。一九六〇年代は、ガの一種で大豆や様々な野菜を食害するハスモンヨトウが畑地でしばしば大発生していました。これはＢＨＣによるニカメイガの防除が、水田に生息するコサラグモ類を殺した結果であることが研究でわかりました。休閑《きゅうかん》田《でん》や畦畔《けいはん》で越冬《えっとう》したコサラグモは五月末になると一斉に糸をはいて散らばっていきます。そして畑に定着した個体は、ハスモンヨトウの孵化幼虫集団をおそい壊滅的な打撃を与えるのです。

梅雨《つゆ》明けと共に畑地は高温乾燥《かんそう》条件になり、湿った場所を好むコサラグモは一斉に水田に移動します。クモから逃れたハスモンヨトウは、秋口に大発生をするのです。「空梅雨の年はヨトウの発生が多い」という言い伝えもうなずけます。水田でのBHCによるニカメイガ防除が、図らずも畑地でのハスモンヨトウの大発生をもたらしていたのです。

水田には六種のアカネ属とノシメトンボが産卵します。冬を越したトンボの卵は、水田に水が入ると孵化し、トンボの幼虫であるヤゴは成虫になると水田をあとにして、雑木林にとどまって性成熟を待ちます。性成熟すると水田に産卵するため戻ってくるのです。

カメムシ目のタイコウチはその生涯《しょうがい》をずっと水田でおくりますが、ミズカマキリは、越冬するためにため池に移動します。海外から毎年梅雨のころに飛来するウンカ類に至っては、冬は三〇〇〇km も離れた、北ベトナムで繁殖している個体群の子世代です。

一口に水田生態系といっても、それは閉鎖《へいさ》的なものではなく、開放的で水田以外の色々な生息場所が昆虫の生活を通じて結ばれているのです。したがって、水田生態系の生物多様性はたんに水田だけで維持されているのではなく、水路、ため池、あぜ、休耕田、周辺の農地、雑木林、湿地《しっち》、河川、遠隔地《えんかくち》の越冬場所など多様な環境によって支えられているのです。

IBM――ただの虫の世界の創造

IPMの目的は、害虫を「ただの虫」にすることです。したがってIPMでは害虫の密度をその種の経済的被害許容水準(EIL)を上回らないように管理することが必要です。他方、自然保護・保全では、絶滅危惧種の密度が絶滅閾値《いきち》を下回らないように管理することが必要です(図5-9)。

作物保護から害虫防除を経て、害虫管理への道筋をたどった私たちは、作物と害虫とその天敵だけに注目するのではなく、農地にすむ生物たちと「共存」する農業のあり方を考えなくてはなりません。農地にすむ生物たちが絶滅も大発生もしないような農生態系の創造・管理こそ、後世代に残すべき持続的農業のあり方です。

IBMはIPMと自然保護の両立をめざして提案された新たな農生態系の管理戦略です。また人為的攪乱すなわち農耕地管理と生物多様性の両立をめざすと言いかえることも可能です。IBMはまだその緒《しょ》についたばかりで、豊かな生物多様性を実現するための最適な管理

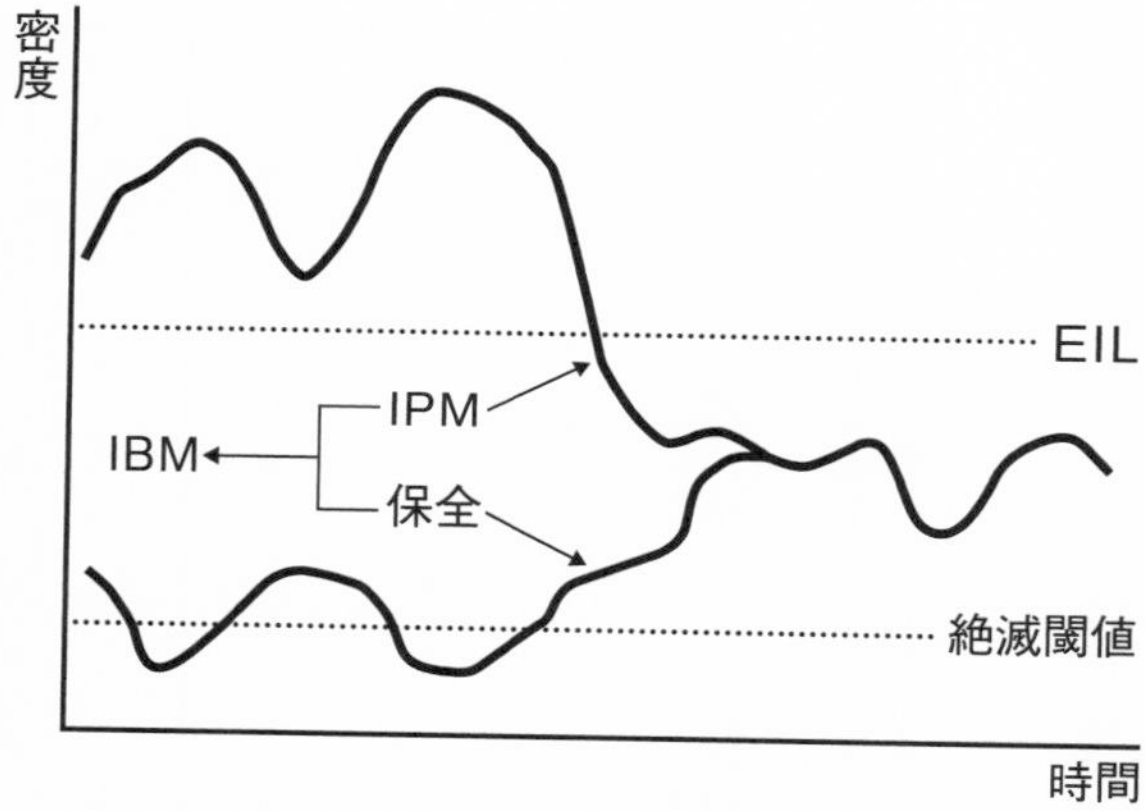

図5-9　IBMの概念。すべての生物の密度をEIL以下に、また絶滅閾値を下回らないように管理

をめざした試行錯誤の段階です。

すでに「水田が支える生物多様性とその保全――総合的生物多様性管理」という特集号が『日本の科学者』という雑誌の二〇一八年四月号(日本科学者会議編、本の泉社)で組まれています。この特集では昆虫だけでなくプランクトン、植物、魚類、ＩＢＭへの農家の立場まで扱われています。

ハーバード大学のエドワード・O・ウィルソン名誉教授は、国語の教科書でも紹介されている有名なアリ学者で、日本国際生物学賞も贈られた生物多様性の世界的リーダーです。彼によれば、「人類の生存には昆虫は不可欠だが、人類が全滅しても滅びる昆虫はコロモジラミとケジラミぐらいだ」そうです。

ところが昆虫が滅びた場合、陸上生態系は崩壊《ほうかい》すると予想されます。昆虫がいなくなった最初の数十年間に、ミツバチなどの花粉媒介虫がいないため、被子植物の大半が繁殖を停止し一気に絶滅に向かいます。代わって風媒性のイネ科やシダ類、針葉樹が優勢になります。土壌《どじょう》をすき返すアリなどがいないため、土壌劣化も一因となり植物の衰退《すいたい》が加速されます。

食物を失った鳥などの陸生脊椎動物も後を追って消滅します。動植物の遺体で数年にわたり菌類と細菌が爆発的に増えるでしょう。人類は風媒植物の穀類と海産物を頼《たよ》りに生き延びますが、当初の数十年にわたる飢饉によって人口は大幅に減少し、減少した資源をめぐる戦争や騒乱がはげしくなると予想しています。ただの虫たちも私たちの生存をささえているのです。

ＩＢＭによって、安心・安全な農業の成果が、農家、消費者だけでなく、農地にすむすべての生物にとっても安心・安全な生息場所を提供することになります。ＩＢＭは二一世紀の課題といえるでしょう。

弱者だって、共存できる！
――「まさか！」と「ご縁」の研究生活

安田弘法

人間万事塞翁《ばんじさいおう》が馬

自然の調和を解明したい！

みなさんは、地球上に何種類の昆虫がいると思いますか？

じつは名前がわかっているだけでも一〇〇万種以上、それは地球上に暮らす全生物種の、なんと三分の二を占めます。さらに、毎年数千種の新しい昆虫が発見され、将来は五〇〇万種、あるいは一〇〇〇万種を超えるかもしれないと考えられています。

田んぼにも、昔はたくさんの動植物がいました。農薬や除草剤を散布している今では、それらの数は少なくなっていますが、動植物を含めると一〇〇〇種以上の生き物が田んぼにいるとする文献もあります。

では、これほどたくさんの種類の生き物たちは、どのように調和を保ち共存しているのでしょうか？　世界中で生物が大発生したというニュースは、ほとんど聞きません。それは自然の調和が保たれているからでしょうか？　自然の調和とその機構を解明することは、私たち人類が多種の生物と地球上で末永《すえなが》く共存するためにも必要な研究です。

ここでは私がこれまで三〇年間行ってきた、多種の生物同士の共存と、自然の調和を明らかにした研究を中心に、商船士官を目指していた中学生が自然の調和とその機構の解明を生《しょう》涯《がい》の研究とする大学教員になったという、自身の「半生記」の一端も紹介したいと思います。

商船士官志望から、昆虫博士へ

私は、島根県の山のなかで育ちました。山で育ったから海にあこがれた、というわけではありませんが、「七つの海をノンビリと航海し、世界の多様な人々と接して、異文化を見聞する人生もおもしろい」と思い、中学校を卒業すると山口県の国立大島商船高等専門学校に入学しました。

ところが商船高専を卒業する頃には、海運界は「ノンビリと人生を楽しむ」から「いかに早く船荷を運搬するか」に変貌《へんぼう》していました。このような「いそがしい」職業を一生続ける自信がなく、外国航路の商船士官の夢はあきらめて、二度ない人生をいかに生きるか、二十歳《はたち》の時に考えました。

当時は日本からブラジルへの移民もあり、「ブラジルで大農園を経営する人生もおもしろい」と考えて、新たな土地の開拓について学べる大学を探しました。国立大学では唯一、宇都宮大学農学部拓殖《たくしょく》学研究室が該当し、そこを受験しました。ところが、夢の実現に向けワクワクして入学したのに、拓殖学研究室の教授は私が入学後二年目に退官され、後任の教授は拓殖どころか国家公務員になることを推奨《すいしょう》する国家公務員経験者でした。

このような教授とは肌《はだ》が合わず、入室できそうな研究室を色々と考えましたが、なかなか見つかりません。最後に残ったのが、応用昆虫学研究室でした。こうしてまったく想定外の研究室に入室し、卒業研究に何をあつかおうかと考えました。異なる種の生物の集まりのことを「生物群集《ぐんしゅう》」といいますが、生物群集の研究に漠然《ばくぜん》と興味があったので、卒業研究では麦畑の昆虫群集を対象に、特に害虫のアブラムシとその天敵《てんてき》の関係を中心に調査を始めました。

その頃、山形大学農学部の小林四郎先生が、「生物群集の多様性と安定性」という論文を学術雑誌に発表され、それを一読して、生物群集の安定性の研究に心ひかれました。小林先生のところで生物群集について学びたくなり、先生に手紙を出して、先生の下で研究生として一年間、生物群集の勉強をさせてもらえることになりました。

その後、生態学を研究するなら博士課程のある大学院で学ぶのがよいと先生から助言され、名古屋大学大学院に進学しました。こうして私は、指導教員の伊藤嘉昭先生の下で研究生活を始めました。先生から「生物群集の研究は、五年間の博士課程では難しいからやめたほうがいい。それでもやりたいなら、糞虫《ふんちゅう》群集を考えたらどうか」と助言され、糞虫との約二〇年のつきあいが始まりました。糞虫とは、成虫および幼虫が動物の糞を餌《えさ》とする甲虫《こうちゅう》の仲間です。

当時は、自然の調和を研究する人はほとんどいなかったので、方法もわからず、暗中模索《あんちゅうもさく》の日々を過ごしました。そんなとき、友人や先輩《せんぱい》が色々と助言をしてくれて、後述するように、まったくの偶然によって研究が進展して私は昆虫の研究で博士号をとりました。そして博士号の取得後、二度の博士研究員を経て山形大学農学部教員として小林先生と教育や研究に携わることになるのです。

これは先生と過ごした一年が縁になっています。二度ない人生、色々と挑戦《ちょうせん》して多くの人と縁を結ぶことの重要性を感じたできごとでした。私は今、半生をふり返り「人間万事塞翁が馬」の故事《こじ》を思い出しています。

☀糞虫から自然の調和を学ぶ

暗中模索の研究生活

ところで、みなさんは、放牧地で牛糞をひっくり返したことがありますか？　じつは、牛糞からは多くの糞虫を発見できます。糞には、それを餌とするたくさんの糞虫がやってきて、糞のなかや直下の地中で生活しています。糞虫の自然の調和を明らかにした私の研究の一端を紹介しましょう。

私の調査地、愛知県北設楽郡《きたしたらぐん》にある名古屋大学山地畜産実験実習施設の放牧地には、生活のしかたの違いから、糞のなかに産卵する体長五㎜程度の小型種と、体長一㎝以上で糞直下の地中に穴を掘り、幼虫の餌として糞塊《ふんかい》を作って産卵する大型種がいました（図5‐10）。

一年目の調査では、一五種の糞虫が採集されました。そのうち大型・小型ともに個体数の多い種は二種で、それ以外は個体数の少ない種でした。それで、「糞虫の種ごとの個体数の変化は、年ごとに大きいのか小さいのか、その変化のしくみは何なのか」、これを明らかにする研究方法を考え続けました。しかし、よい方法が思いうかばず、暗中模索のまま二年目の研究生活に入りました。

一五種の糞虫のなかの大型種で、最も個体数が多い優占種《ゆうせんしゅ》にカドマルエンマコガネ（以下、カドマル）がいました。このカドマルを中心に何とか群集の研究ができないか四苦八苦していると、伊藤先生から「糞虫にマークした研究者はいない。マークができたら、よい研究になるだろう」と助言がありました。マークとは標識のことで、翅《はね》にマジックで番号などを書くことです。

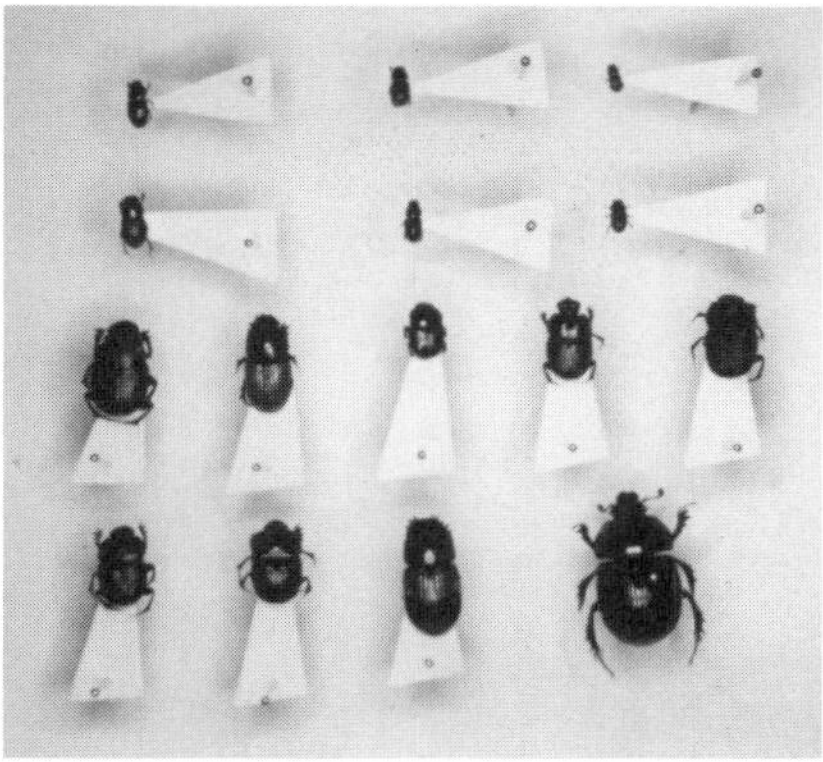

図 5-10　愛知県設楽放牧地で採集された 15 種の糞虫（上２列が小型種、下２列が大型種）

わざわい転じて……偶然の幸運！

マークするには、捕獲する必要があります。洗面器を地中にうめて金網《かなあみ》をのせ、そこに牛糞を置いてみると、何千ものカドマルが採集できて大喜びでした。さっそく、捕獲した糞虫を冷蔵庫に入れて保存しました。多くの昆虫は常温のままでは動きが活発でマークをするのが難しいのですが、短期間冷蔵すれば、活動を停止させることができるのです。

……ところが数日後、マークするために冷蔵庫を開けてみると、カドマルはすべて死んでいました。ビックリし、すっかり落胆《らくたん》しました。群集研究の中心にしようと考えていた優占種のカドマルを、私は自らの手で取り除いてしまったのです。

こうして、研究方法がわからないまま三年目に入りました。伊藤先生の「群集の研究はやめておけ」との助言が脳裏《のうり》をかすめましたが、今さらやめるわけに行きません。

春先から初夏になって、週一回の調査で妙なことを発見しました。前年の捕獲の影響か、過去二年間の調査で個体数の多かったカドマルの数が少なくなり、数が少なかったツノコガネ(以下、ツノ)が多くなっていたのです。この二種は種間競争《しゅかん》の関係にあるかもしれないと感じ、さっそく、二種の産卵様式、産卵時期、餌の利用様式などを比較しました。

種間競争とは、餌や産卵場所をめぐる異なる種間での競争です。そして、この二種の種間競争を確信しました。この二種は、産卵の時期や様式が類似し、産卵場所をめぐる競争が生じる関係だったのです。やっと研究の方向性が見えてきたことは涙が出るほどうれしくて、山の放牧地でひとり「ウオーッ」と叫んだほどでした。そして、次にこの二種の数の決定機構に注目して、実験を組み立てました。四年目から何をすべきかわかり、ワクワクしながら実験しました。

結果的に、冷蔵庫で死なせてしまったカドマルは、生物群集での「優占種の取り除き実験」になったのです。優占種の取り除き実験とは、種間競争に強い優占種を除去し、それが競争劣位《れつい》の種へおよぼす影響を検証する手法です。じつはこれは、野外で種間競争を明らかにする常套《じょうとう》手段でしたが、私はまったくの偶然でそれを実践したことになりました。

その後、この実験を知らなかった自分の不勉強を猛省《もうせい》しましたが、もし取り除き実験を知っていたとしても「カドマルはツノに対して種間競争の優位種なので、それを取り除くことにより劣位種のツノの個体数が増加する」との作業仮説を立てて、それを検証できたかどうかは定かではありません。

糞虫の自然の調和と共存

私が調査をした五年間で、糞虫の種ごとの個体数の順位に変化は少なく、糞虫群集は安定し、調和が保たれていました。この調和を維持《いじ》する機構として、カドマルでは、成虫の産卵場所での種内競争が重要であることをつきとめました。個体数が多いと産卵場所での種内競争が厳しくなって産卵数が少なくなり、個体数が少ないと産卵場所での競争が弱くなって産卵数が多くなります。このような種内競争によって、カドマルの個体数が安定しているようです。

また、もともと個体数の少なかったツノでは、カドマルとの産卵場所での種間競争により産卵数が少なく、それが個体数の少ない要因の一つと思われました。私はカドマルとツノ以外にも二種の大型種の個体数決定機構を明らかにしましたが、それは一五種の糞虫のうちのたった四種にすぎません。自然の調和を明らかにする研究の難しさを感じました。

さらに研究を進め、競争に弱いツノが強いカドマルと共存できるのは、餌利用様式が異なるためであることもわかってきました。多くの糞虫は新鮮な動物の糞を利用しますが、ツノは、カドマルなどが利用したあとの古い糞も利用できます。このような古い糞ではカドマルとの競争はなく、それが共存のしくみの一つに思われました。また、大型九種の産卵時期は、初夏、夏、秋と分かれ、これは産卵場所での種間競争の緩和《かんわ》となり、多種の共存を可能にしているようです。

糞虫には強力な捕食者《ほしょくしゃ》がいないので、その調和を決めるのには競争が重要だということを解明できました。しかし、糞虫の研究をまとめながら、捕食者がいる生物群集の調和はどうなのか？　気温などの環境要因も自然の調和へ影響を与えるのだろうか？　と次々に疑問がわいてきました。そして次に、カの幼虫群集を使った室内実験を計画したのです。

カを食うカと、他のカとの共存

世にも不思議な、カを食うカ

カといえば、人の血を吸う虫、という認識が一般的でしょう。しかし「カを食うカ」もいることを知っていますか？　このようなカとして、日本にも成虫の体長一五㎜、体がきれいな蒼《あお》い金属色のトワダオオカ（以下、オオカ）がいます。

オオカの幼虫は捕食性ですが成虫は花の蜜《みつ》などを餌とするので吸血しません。オオカは幼虫や成虫の個体数が少なく、すむ場所がブナなどの樹洞《じゅどう》にできた水たまりに限られることから、発見するのが難しく「幻《まぼろし》のオオカ」といわれています。ここから、オオカと他のカの仲間との、共存のしくみを明らかにした研究の一端を紹介しましょう。

幻のオオカを求めて

私は糞虫の研究で博士号を取得後、一九九〇年四月から三年間、科学技術庁基礎科学特別研究員として理化学研究所(理研)において、カの幼虫群集を使った室内実験で生物の共存機構を研究する機会を得ました。この実験には、前述した捕食性オオカも含まれています。そのため、理研に着任するやいなや、オオカを求めて三千里《り》の旅が始まりました。かつて奥多摩《おくたま》でオオカが発見された場所の地図をたよりに山行きを始めましたが、発見できませんでした。

月日が経つのにあせりを感じながら不毛《ふもう》な山行きを二か月間続けましたが、オオカには出会えません。知人から「三宅島《みやけじま》の南の御蔵島《みくらじま》で一九七八年頃にオオカが発見されたので、そこでは採集できるかもしれない」と聞いたのを思い出し、藁《わら》をもつかむ思いで御蔵島に向かいました。東京から飛行機で一時間南下すると三宅島です。三宅島の向かいにあるお椀を伏せたような形をした周囲一七kmの小さな島が御蔵島です。

宿に着き、さっそく採集に必要なスポイト、懐中電灯《かいちゅうでんとう》、サンプル瓶《びん》などの七つ道具を背負って一路《いちろ》目的地を目指しました。かつてオオカが発見された地域を中心に、林や竹の切り株《きかぶ》にできた水たまりをくまなく探しました。しかし、オオカには出会えません。翌日は意を決して全島調査をしましたが、見つかりませんでした。

棒のようになった足を引きずり、最終日の作戦をねり直し、一つのかけを思いつきました。知人が「内側に水がたまった古タイヤを設置すれば、オオカはそこに産卵しに来るので、発見できる可能性がある」と話していたことを思い出したのです。幸いオオカが発見された竹やぶから二kmほど離れた自動車修理場に、古タイヤがありました。そのタイヤをゆずり受け、修理場から調査地まで四往復し、オオカの産卵場所として七本のタイヤを竹やぶに設置しました。

心の底からおたけび

それから二か月後、再び御蔵島に行きました。旅館で荷物を置くのもそこそこに、ドキドキしながら調査地にかけ出しました。竹やぶをすべるようにずり落ち、設置した古タイヤのなかを確認します。懐中電灯を片手に真っ黒いタイヤのなかを照らすと、たくさんのカの幼虫が水のなかでおどっています。すき通った水のなかでの生物群集に胸をおどらせながらも、目を皿のようにしてオオカを探しました。しかし、肝心《かんじん》のオオカはいません。最初の三個のタイヤにはヤブカの幼虫はいたのですが、オオカの幼虫はいませんでした。

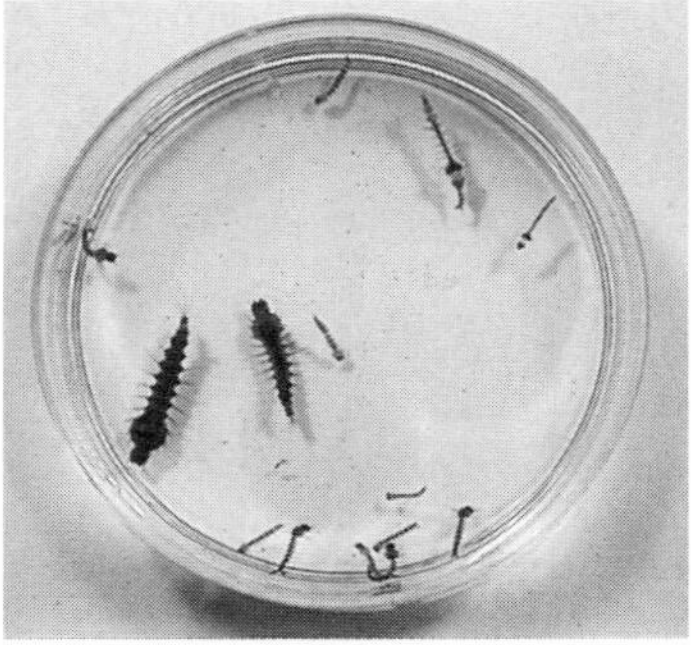

図5-11　御蔵島の調査地で採集された7種の蚊の幼虫。最大のものがトワダオオカの4齢幼虫

落胆しながら四番目のタイヤをのぞきこむと、これまでのタイヤと様子が違いました。あれほどたくさんいたヤブカの幼虫がいません。不思議に思いながら注意深くタイヤのなかの落ち葉を一枚一枚割りばしでつまみ出すと、底の方で体長一五㎜もある黒い大きな物体がジーッとこちらを見ているのです。一瞬、頭のなかが真っ白になりました。探し求めていたオオカの幼虫です。「ワァオーッ」と、その場で叫んでいる自分を発見するのに時間はかかりませんでした。

結局、その時の調査ではオオカの四齢《よんれい》幼虫を四匹採集できて、意気揚々《いきようよう》と旅館に帰りました。その後一九九一年一〇月まで八回の野外調査をして、竹の切り株からはまったくオオカを発見できませんでしたが、古タイヤの設置でオオカの採集が可能となりました。

この竹やぶで採集されたカの幼虫を図5-11に示しました。一番大きいのがオオカの四齢幼虫です。この竹やぶには、捕食性のカとしてオオカとトラフカクイカが生息し、この二種のほかに、その餌となる五種のカがいました。オオカは竹の切り株からはまったく発見されなかったことから、竹やぶにある大きなシイの木の樹洞にいると考えています。

表5－1のように、竹の切り株とタイヤでのカの種数と個体数は異なっていました。竹の切り株ではシマカ類が多いのですが、オオカがいたタイヤではシマカ類は少なく、ハマダラナガスネカ(以下、ナガスネカ)が多いのです。オオカは、暗い閉鎖《へいさ》された樹洞などを好むようです。

表5-1　2年間8回の調査で採集された蚊の幼虫数。古タイヤのカは、オオカが発見されたタイヤのみを対象とした。( )内の数字は2年間で調査した数

種名	竹の切り株 (255)	古タイヤ (12)
トワダオオカ	0	28
トラフカクイカ	6	0
ヤマトクシヒゲカ	215	9
ヒトスジシマカ	755	5
ヤマダシマカ	433	5
シロカタヤブカ	15	0
ハマダラナガスネカ	113	162
総種数	6	5

好奇心旺盛《おうせい》なカ、慎重《しんちょう》なカ

オオカのいるタイヤではナガスネカが多く、ヤブカ類の幼虫が少ないことがわかりました。オオカとナガスネカは共存しやすく、ヤブカ類は共存しにくいのでしょうか？　これを明らかにするため、ナガスネカとヤブカ類のヒトスジシマカを餌種に選び、一〇時間後のオオカによる捕殺数を調べました。

その結果、シマカがナガスネカよりも多く殺されました。この理由を明らかにするため、今度は餌二種とオオカの行動を一〇分間、観察しました。シマカは一〇分間のうち七割を活発に動きましたが、ナガスネカとオオカは、ほとんど動きませんでした。また、活発に動くシマカは、オオカの近くに頻繁《ひんぱん》に接近し、時にはオオカをつつき、捕獲されました。

ところが、ナガスネカはこのような行動はしません。この餌種の行動の違いは、オオカからの攻撃の頻度《ひんど》にも影響していました。シマカは頻繁に攻撃されるうえに捕獲を回避《かいひ》する能力も低いのですが、ナガスネカは攻撃されにくく、攻撃されても捕獲回避能力が高いのです。

ほとんど動かないナガスネカは、オオカが近づくとスーッと逃げたり、攻撃をサッとかわします。いつもは動かないのに、攻撃された時になぜこのような行動がとれるのか不思議です。ナガスネカには長い体毛がたくさんあり、これでオオカの接近や攻撃を感じるのかもしれません。

オオカと共存するには、オオカに接近せず、かつ攻撃されたら捕獲を回避することが重要で、これは一般的な捕食者と餌との共存にも通じると思われました。気温などの環境要因がカの群集の調和におよぼす影響は明らかにできませんでしたが、ヤブカの卵は水がない乾燥《かんそう》状態でも生存でき、その後の雨などで卵が水につかると孵化《ふか》します。

このようにヤブカは、オオカに捕食されやすくても、水たまりが乾燥してオオカ幼虫が死《し》滅《めつ》し、その後の雨でヤブカが孵化すると、オオカから捕食されることはありません。このようなヤブカとオオカの生態の違いが、オオカがいる地域でのオオカとヤブカの共存に重要と思われました。これは、カの群集の調和を保つ機構の一つかもしれません。

弱者と強者、共存するヒケツ

テントウムシとの研究生活

カの室内実験では、捕食者と餌種の共存の一端を明らかにしましたが、餌をめぐる捕食者同士の関係は未解明でした。野外では、餌を同じくする多くの捕食者が生活しています。次なる疑問は、このような捕食者同士の種間関係を明らかにすることです。

私は、今から二八年前の一九九二年四月、山形大学に赴任《ふにん》しました。その後、すぐに農学部圃場《ほじょう》に行き、研究材料となる虫を探しました。圃場にはムクゲ（図5-12）があり、そこにはアブラムシとそれを食べるテントウムシの幼虫がたくさんいました。「これは、研究材料になるな」と直感し、テントウムシについて調べ始めました。テントウムシの産卵場所の決

図5-12　ムクゲ（写真：123RF）

定や餌をめぐる同種および他種との関係は、当時ほとんど知られていませんでした。

テントウムシが発育するには、餌になるアブラムシが必要です。テントウムシは、アブラムシの多いところに産卵するか？　産卵の仕方はテントウムシの種類によって違うか？　卵からかえった幼虫は、餌をめぐり競争するか？　この競争には、強い種と弱い種がいるか？　テントウムシとそれ以外の捕食性昆虫の餌をめぐる競争の強さはどうか？　多種の捕食者が共存するしくみは何か？

素朴《そぼく》な疑問が次々に浮かびました。このような疑問を明らかにするため、その後一〇年以上、私は学生諸君と一緒にワクワクしながらテントウムシの研究をしました。

ナミテントウが他のテントウムシを捕食？

最初の学生は一九九三年の修士学生、新谷勝広君（現・山梨県職員）でした。ナミテントウ

表5-2　ナナホシテントウの生命表(1994年)

発育段階	生存数	死亡要因	死亡数	死亡率(%)
卵	366	共食い(同種)	8	2.2
		未孵化	6	1.6
		消失	89	24.3
		不明	71	19.4
		計	174	47.5
1齢幼虫	192	消失	69	35.9
2齢幼虫	123	消失	23	18.7
3齢幼虫	100	クモによる捕食	1	1.0
		不明	1	1.0
		移出	1	1.0
		消失	23	23.0
		計	26	26.0
4齢幼虫	74	クモによる捕食	1	1.4
		移出	6	8.1
		消失	43	58.1
		計	50	67.6
蛹	24	ナミ4齢による捕食	3	12.5
		不明	4	16.7
		計	7	29.2
成虫	17	成虫までの総死亡率　95.4%		

(以下、ナミ)とナナホシテントウ(以下、ナナホシ)を対象に、アブラムシの発生とこれらのテントウムシの産卵およびその後の発育を調べる生命表を野外のムクゲで作成しました(表5-2)。生命表は、昆虫などが卵から成虫までの発育段階にどのような死亡要因で数が減少するかを記す表です。

毎日、ムクゲのアブラムシと二種のテントウムシの卵や幼虫、蛹《さなぎ》などの死亡要因と生存数を記します。根気《こんき》のいる仕事です。その結果、アブラムシが減少すると、ナミがナナホシを捕食することが観察されました。テントウムシはアブラムシだけを餌にすると考えていただけに、これは驚きの発見でした。ナミによるナナホシの捕食は、ナミが四齢幼虫で餌が減少した時に多いことがわかりました(捕食は卵、幼虫、蛹で、成虫は捕食されません)。

しかし、野外でナミがナナホシを捕食するのを直接観察することはまれです。そこで、図5-13①のような装置のムクゲに、アブラムシとナナホシおよびナミの単独区と混合区を設置し、二種の死亡要因を明らかにしました。その結果、野外観察と同じように、ナミが四齢幼虫になり餌が減少すると、ナナホシへの捕食やナミ同士の共食いが起こりました。しかし、ナナホシがナミを捕食することはありませんでした。

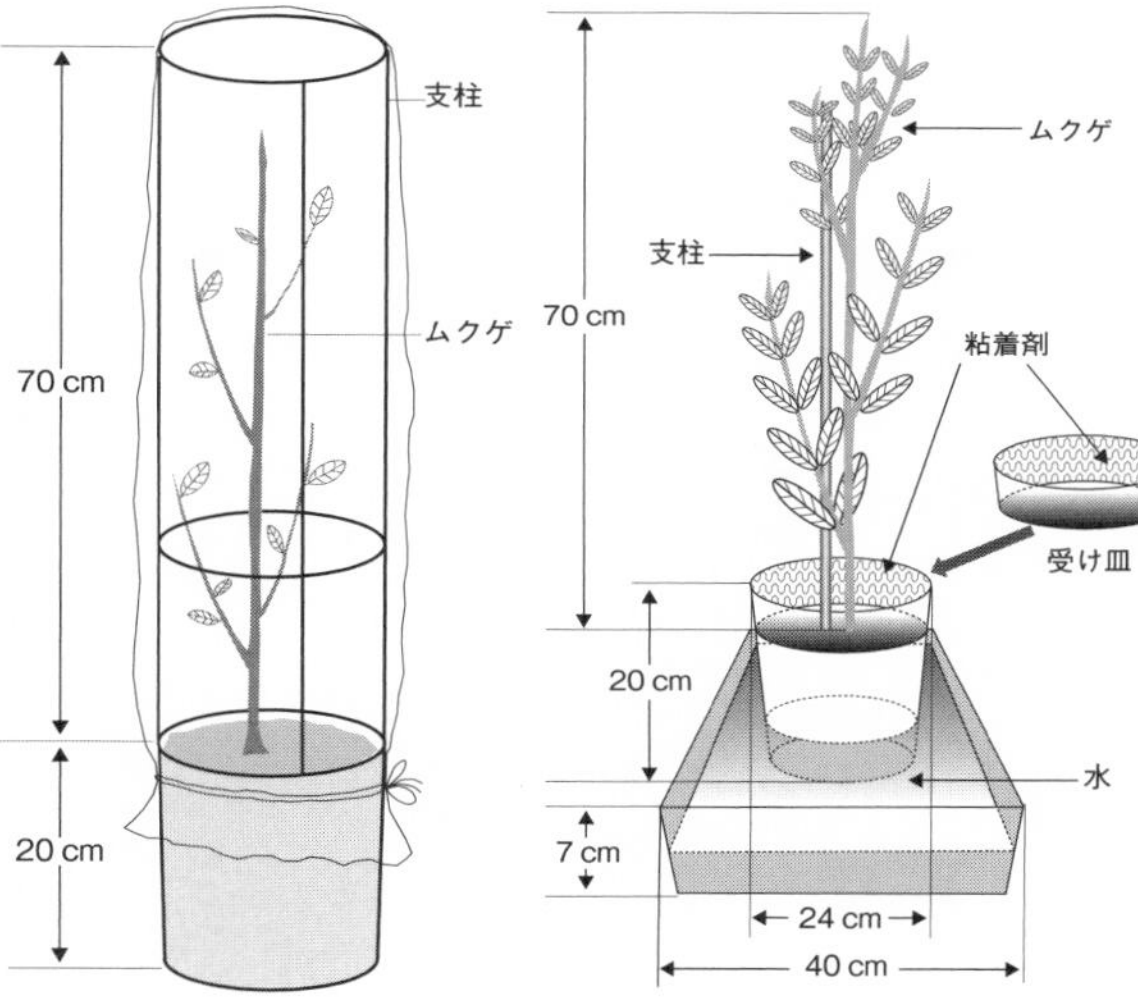

①テントウムシが、移出不可能な装置　②テントウムシが、移出可能な装置

図5-13　テントウムシの種間相互作用の実験に用いた装置

結果が異なった二つの実験

この研究を発展させ、ナナホシおよびナミとそれより少し小さいヒメカメノコテントウ(以下、ヒメ)を加えた三種を対象に、ムクゲからの移出も含んだ種間相互作用の研究を行いました(図5-13②)。こちらは一九九五年に修士課程に進学した佐藤智君(現・山形大学准教授)が担当してくれました。

生息場所が不適になると新天地を求めて移動することは、生物の重要な生存戦略です。実験の結果、三種のテントウムシのムクゲからの移出には種間差があり、ナナホシはアブラムシがいなくなるまでに八割がムクゲから移出しました。一方、ナミとヒメは、餌がなくなっても移出は一割以下で、九割以上はムクゲに滞在していました。アブラムシが減少して、ナミが四齢になると他種を捕食します。佐藤君の実験では、ナナホシは餌がなくなる前に移出し、ナミによるナナホシの捕食はほとんど起こりませんでした。一方、滞在期間の長いヒメは六割の幼虫がナミに捕食されました。

つまり、より野外の状況に近い佐藤君の実験結果は、新谷君のケージ実験の結果とは異なったことになります。こうして私は、実験の設定は野外の状況を反映する必要があることを、二人の実験結果から学んだのです。

最優秀講演者賞、感動の涙

テントウムシの研究を始めて三年目、「アブラムシ捕食者の国際シンポジウム」を知り、修士一年の佐藤君と発表することにしました。これは一九九六年九月にベルギーで開催され、先述の研究成果を佐藤君が発表すると、数多くの質問があり、たくさんの研究者が発表に関心をもってくれました。

そしてシンポジウムの最終日、最優秀講演者賞の発表がありました。会長の英国人、ディクソン教授が舞台中央から左右に歩きながら感想を述べ、一瞬中央で立ち止まり、正面を見つめて最優秀講演者の名前を読み上げました。

「最優秀講演者賞は、山形大学、サトル・サトウに決定した」

この発表が終わるやいなや、「Congratulation!(おめでとう)」と拍手の嵐《あらし》でした。佐藤君と私は多くの研究者から祝福の握手《あくしゅ》を求められ、言葉には表せないほど感動しました。これは生涯忘れられない思い出となりました。

かしこいヒラタアブの産卵

テントウムシを通してアブラムシを見ていたら、同じくアブラムシを餌にするヒラタアブの興味深い産卵にも気が付きました。ヒラタアブのとても興味深い産卵も、紹介しましょう。

多くのテントウムシは、複数の卵をかためて卵塊《らんかい》で産卵しますが、ヒラタアブは産卵場所に一卵ずつ卵粒で産卵します。昆虫は餌の多いところや捕食者のいない場所に産卵すれば、孵化した幼虫の生存率が高くなります。それゆえ、産卵場所の決定は幼虫の生存に重要です。

アブラムシのメスは、アブラムシの数が増えて寄主《きしゅ》植物が枯死《こし》する前に、成虫になると翅が生える幼虫を産みます。つまり、同じ種類のアブラムシでも、翅のある個体と翅のない個体がいるのです。翅のある成虫(有翅《ゆうし》成虫)は、よい状態の寄主植物を求めて飛び立ちます。それゆえ、有翅の集団がいるということは、アブラムシが寄主植物から移出して減少することを意味します。

「ヒラタアブのメスは、アブラムシが減少する有翅より、増加する無翅の集団への産卵数が多い」との仮説を検証する実験が行われ、この仮説が支持されました。

ヒラタアブの産卵には、さらに興味深いことがあります。アブラムシのなかには、ヒラタアブの幼虫を攻撃する「兵隊アブラムシ」をもつ種がいます。ヒラタアブのメスは、この兵隊アブラムシがいる集団をさけて産卵するのです。幼虫の生存数が多くなるように産卵するヒラタアブのメスのかしこさには、驚くばかりです。

弱者だって共存できる!

私達の調査地のムクゲには、大型のナナホシやナミおよび中型のヒメ以外にも、小型のコクロヒメテントウ(以下、コクロ)やヒラタアブもいます。梶田幸江君(現・米国在住)は二〇〇〇年に修士課程に進学し、大型のナミとナナホシが小型のコクロとヒラタアブの個体数減少におよぼす影響を明らかにしました。

野外のムクゲに、ナミとナナホシの卵を取り除いた区、ナミまたはナナホシの卵を取り除いた区、取り除きのない区の四処理区を作り、ムクゲ上の捕食者の幼虫調査を行いました。その結果、ナミとナナホシを取り除いた区ではそれ以外の区よりコクロやヒラタアブの幼虫数は多く、大型のナミとナナホシがこれら小型の昆虫の産卵や生存に負の影響を与えていることが示唆《しさ》されました。

こうして一九九三年から一〇年間、毎年、卒業および修士研究の学生諸君が、アブラムシ捕食性昆虫の産卵様式や種間相互作用の研究に従事してくれました。その結果、ムクゲには五種のテントウムシと五種のヒラタアブがいて、その数は比較的多く、さらに数は少ないがクサカゲロウ、ショクガタマバエ、寄生蜂《きせいほう》、クモ類など、多種の捕食者がいることが明らかになりました。

これらの捕食者のなかでもナミテントウは、他種を捕食する最上位捕食者でした。櫛渕康平君(現・栃木県職員)は二〇〇三年から三年間、ナミのような強者とそれ以外の弱者が一緒に生活するヒケツを研究してくれました。野外のムクゲからナミの卵を除去する区と除去しない区での、ナミも含めた五種のテントウムシと五種のヒラタアブの産卵、およびその後の幼虫の発育と生存を調べたのです。

その結果、多くのテントウムシとヒラタアブは、アブラムシが豊富でナミの幼虫が小さい時に、産卵し発育しました。それゆえ、これらの幼虫が発育する時には、ナミから捕食される可能性は低いと思われます。一方、産卵が遅い種に、ヒメと「かしこい産卵をする」ヒメヒラタアブがいました。この二種は、ナミがいる区よりもナミ除去区で個体数または産卵数が多いことから、ナミの幼虫がいると産卵を抑制する可能性があると思われました。

ムクゲでは、テントウムシやヒラタアブを含めて多くのアブラムシ捕食者が共存しています。そのなかで、ナミは最上位捕食者でした。この強者とそれ以外の弱者が一緒に生活するヒケツは、強者のナミが餌のアブラムシが減少して他種を捕食し始める前に、弱者は発育を完了するか、ナミがいる寄主植物をさけて産卵することだと思われました。このように昆虫の世界でも、弱者が強者と共存するには弱者の「知恵」が必要とされているようです。

失敗してもいい、挑戦を！

このように、私は自然の調和の解明を生涯のテーマとして三〇年以上研究してきました。糞虫から始まり、カの幼虫群集、アブラムシ捕食者……。そして今は、無肥料・無農薬・無除草剤の自然共生《きょうせい》水田を舞台に、タニシなど水中で生活する生物の調和がイネの昆虫群集におよぼす影響を、一〇年以上研究し続けています。

　これまでの研究から、生物の共存には、餌量をはじめ、餌探索行動、餌選択と利用様式、産卵場所選択など、個体レベルの行動が大きく影響していることがわかりました。そして、個体レベルだけではなく、種内・種間競争の強さや捕食者との関係、共生関係など、個体群から群集レベルの相互作用も重要と思われます。

　自然の調和を解明するには、対象とした生物群集で長い年月をかけて調査し、その実態を示す必要があります。私自身も、カの群集研究以外は、いずれも野外で一〇年以上研究を続けました。どの研究もまだまだ納得できるものではありませんが、昆虫が織りなす自然の調和と生物の共存機構の一端は知ることができました。


　これまでの研究をふり返ると幸運に導かれた研究もあり、自然の調和を解明するのは、簡単ではないと感じます。しかし、このような研究は、私達が多くの生物と地球上で末永く共存するために、今後ますます必要だと確信しています。

「人間万事塞翁が馬」との故事がありますが、いま人生をふり返ると、失敗の連続であったように感じます。みなさんもこれから色々と経験し、多くの失敗もすることでしょう。二度ない人生に夢を描き、その実現に向けて努力し、失敗してもくじけずに次の大きな夢を描いて挑戦してください。幕末の偉人、吉田松陰《よしだしょういん》先生は「夢なき者に成功なし」と教えています。夢を描き挑戦する人生はすばらしいと思います。

若いみなさんが、大きなスケールで自然の調和の解明に向け、夢を描きワクワクしながら挑戦されるのを楽しみにしています。

おわりに

『博士の愛したジミな昆虫』、いかがだったでしょうか？

本書では、昆虫の不思議に魅《み》せられた老若男女《ろうにゃくなんにょ》の多様な研究者が、さまざまな昆虫の生き方を通じた学びや、昆虫を材料にして生態学の重要課題を解明しようと挑戦《ちょうせん》した成果の一端を紹介しました。野外で発見した現象を解き明かす仮説を立て、それを検証したり、進化に迫ろうとする研究など、おもしろく読まれたと思います。

みなさんは、本書を通じて、昆虫の不思議な生き方だけでなく、研究の方法も学ばれたことでしょう。これまで昆虫にあまり関心がなかった人は、そのおもしろさや不思議さに関心をもち、もともと昆虫が好きな人は、さらに研究の奥深さに魅せられたかもしれません。本書から昆虫の不思議な生き方はもとより、生態学研究のおもしろさも発見していただけたなら、うれしく思います。

私が育った島根の山間地では、夏の初めに、まずニイニイゼミが鳴き、そして真夏を知らせるアブラゼミやツクツクホウシが続くと、子供たちの昆虫採集が始まります。セミの季節の最後に、「カナカナカナ」ともの悲しい鳴き声のヒグラシが鳴き始めると夏休みが終わり、毎年、悲しくなったことを思い出します(セミが鳴く季節は地方で違うことがある)。

私たち田舎《いなか》の子供は、このように初夏から初秋への季節の移りかわりを、セミの鳴き声によって教えられて育ちました。それゆえ、セミは子供たちにとって最も身近な昆虫のひとつでした。『博士の愛したジミな昆虫』を読み返しながら、六〇年も遠い昔の、楽しかった昭和の子供時代がフッと心に浮かびました。

昆虫は、約四億年前から地球上で生活し、一〇〇万種以上の種類に分かれ、地球上のあらゆるところで生活しています。このような多様な昆虫の新発見を発表する場のひとつとして、日本応用動物昆虫学会があります。本書の編者は、この学会で二〇一一年から五年間「温故《おんこ》知新《ちしん》、昆虫生態学の大先輩《せんぱい》から学ぶ」という小集会を企画しました。本書は、この小集会で話題を提供してくださった講演者を中心に執筆をお願いして、刊行したものです。

あわただしい時代の今、ジックリと生き物を観察して、いろいろな現象を深く考える機会は少なくなっています。子供の頃に自然観察のおもしろさを知り、その重要性を学ぶことは、きっと一生の財産になると思います。その身近な材料の一つが、昆虫でしょう。本書を通じ、生き物を観察する楽しさや重要性も感じていただければ幸いです。

自然界では多くの生き物が複雑につながった食物連鎖《しょくもつれんさ》がつくられ、それが途切れると、生き物は生きていけないことがあります。たとえば、日本で普通に見られたトキが絶滅《ぜつめつ》しました(現在、佐渡島《さどがしま》にいるトキは、中国から導入したものです)。これは、農薬などの使用による餌《えさ》のドジョウなどの消滅も要因の一つでした。世界の人口は今、七七億を超え、私たちがつくった文明や、増加した人類は、自然の調和をくずしつつあります。しかし、私たちが末《すえ》永《なが》く生き続けるには、自然の多様性を保ち、その調和を維持《いじ》することが必要です。「ジミな昆虫」たちは食物連鎖を通じて、自然の調和の重要性も私たちに教えてくれます。

また、かつては赤ちゃんの誕生やお年寄りが亡くなることを、家族と一緒に家のなかで経験しました。しかし現在では、そのような経験は少なくなりました。私たちの身近にいる昆虫の観察は、生き物の誕生や死を見つめ、命を考えるきっかけにもなります。

私は、本書で紹介した「幻《まぼろし》のオオカ」の幼虫を三宅島《みやけじま》のさらに南にある孤島《ことう》・御蔵島《みくらじま》で採集し、成虫まで飼育して人工交尾《こうび》をさせ、採卵しました。そして、その卵から体長一㎜の透き通ったヒラメのような幼虫が孵化《ふか》したときの感動を、今でも鮮明《せんめい》に覚えています。

このように昆虫は身近な生き物で、飼育を通じて生命への畏敬《いけい》を感じられる対象でもあります。わが家では、子供たちが小学生のとき、家族でモンシロチョウの幼虫を飼育しました。

そして家族全員で、蛹《さなぎ》がチョウに羽化《うか》する感動の一瞬を観察しました。この感動は、子供たちにとっても、生涯《しょうがい》忘れることのない思い出になっています。身近な昆虫は、このような感動も私たちに与えてくれます。これも、博士が「ジミな昆虫」を愛する理由です。

最後になりましたが、筆者の一人、桐谷圭治先生が天寿《てんじゅ》を全《まっと》うされました。桐谷先生は、日本はもとより、世界の応用昆虫学の牽引者《けんいんしゃ》の一人で、世界で始めて農業での「総合的生物多様性管理」の重要性を指摘《してき》されました。それは、まったく独創的で、桐谷先生にしかできない提言です。「応用昆虫学の世界の巨星墜《きょせいお》つ」を強く感じます。ご冥福《めいふく》をお祈りします。

岩波ジュニア新書編集部の塩田春香さんからは、本書の刊行に当たり献身的な尽力と数多くの建設的な助言をいただきました。また、表紙や数多くの図を石森愛彦さんに描いていただきました。親しみやすい絵で本の内容が身近なものとなり、さらに理解しやすくなりました。本書の編著者、鈴木が所属する高知大学農林海洋科学部生物多様性管理学研究室および、安田が所属した山形大学農学部動物生態学研究室の学生のみなさんには、原稿に大変貴重なコメントをいただきました。これらのみなさんに心から感謝し、お礼を申し上げます。

安田弘法

【執筆者紹介】

金子修治

1969年生．京都大学大学院理学研究科博士課程中退．理学博士．これまで，静岡県農林技術研究所と大阪府立環境農林水産総合研究所で農作物の害虫と天敵の研究に従事．多種多様な生物の共存を可能にするしくみが知りたくて昆虫の研究を始めた．好きな虫はテントウムシとアリ．

鈴木紀之

1984年生．京都大学大学院農学研究科博士課程修了．農学博士．現在，高知大学農林海洋科学部准教授．子供の頃からチョウが好き．研究のメインはテントウムシの生態と進化．著書に『すごい進化』(中公新書)，『繁殖干渉』(分担執筆，名古屋大学出版会)

安田弘法

1954年生．名古屋大学大学院農学研究科博士課程修了．農学博士．現在，放送大学山形学習センター所長．自然のバランスの機構の解明をライフワークとし，無肥料・無農薬・無除草剤で淡水生物の機能を活用しておいしいお米を多く収穫する研究などに従事．著書に『生態学入門』(共著，東京化学同人)など．

大崎直太（おおさき・なおた）

1947年生．名古屋大学大学院農学研究科博士課程中退．農学博士．京都大学農学部在職中は，チョウを題材に，食性の進化や擬態の進化を研究した．子供の頃よりチョウは好きだったが，世の中の熱狂的なアマチュア研究者に比べると，本物とは言い難い．著書に『擬態の進化』(海游舎)，『蝶の自然史』(編著，北海道大学出版会)など．

東樹宏和（とうじゅ・ひろかず）

1980年生．九州大学大学院理学研究府博士課程修了．理学博士．現在，京都大学生態学研究センター准教授．昆虫だけでなく，植物や真菌，細菌，原生生物たちが生態系内でどのように関わり合っているのか探っている．多様な生物たちが息づく農業生態系の設計や，自然生態系の再生を目指している．著書に『DNA情報で生態系を読み解く』(共立出版)など．

村瀬　香（むらせ・かおり）

名古屋大学大学院生命農学研究科博士課程修了．農学博士．現在，名古屋市立大学大学院理学研究科准教授．健全な生態系の維持・促進に貢献する研究に従事するとともに，特定の研究領域・材料・手法などに縛られない，統合的で自由な研究を目指している．

塩尻かおり（しおじり・かおり）

1973年生．京都大学大学院農学研究科博士課程修了．農学博士．現在，龍谷大学農学部准教授．植物の出す「かおり」が様々な生物にもたらす作用に注目し，植物や昆虫の形態や行動の研究をしている．著書に『生物多様性科学のすすめ』(分担執筆，丸善)など．

辻　和希（つじ・かずき）

1962年生．名古屋大学大学院農学研究科博士課程修了．農学博士．現在，琉球大学農学部教授と鹿児島大学連合大学院教授を兼任．社会性昆虫の生態学を専門とし，行動生態学と群集生態学の融合に取り組んでいる．著書に『生態学者・伊藤嘉昭伝　もっとも基礎的なことがもっとも役に立つ』(共編著，海游舎)，『シリーズ進化学6　行動・生態の進化』(共著，岩波書店)など．

田中幸一（たなか・こういち）

1955年生．名古屋大学大学院農学研究科博士課程修了．農学博士．現在，東京農業大学農学部嘱託教授．昆虫やクモを対象に，農地の生物多様性の評価と活用，環境変化に対する生物の適応の研究に従事．著書に『生物間相互作用と害虫管理』(共編，京都大学学術出版会)など．

桐谷圭治（きりたに・けいじ）

1929年生．京都大学大学院農学研究科博士課程中退．農学博士．和歌山県，高知県，農林水産省農業環境技術研究所を経て，アジア・太平洋地区食糧・肥料技術センター副所長をつとめる．日本応用動物昆虫学会賞，日本農学賞，科学技術庁長官賞，紫綬褒章などをうける．

博士の愛したジミな昆虫　　岩波ジュニア新書 916

2020年4月17日　第1刷発行
2021年9月6日　第2刷発行

編著者　金子修治《かねこしゅうじ》・鈴木紀之《すずきのりゆき》・安田弘法《やすだひろのり》

発行者　坂本政謙

発行所　株式会社 岩波書店
〒101-8002 東京都千代田区一ツ橋 2-5-5
案内 03-5210-4000　営業部 03-5210-4111
ジュニア新書編集部 03-5210-4065
https://www.iwanami.co.jp/

組版　シーズ・プランニング
印刷・三陽社　カバー・精興社　製本・中永製本

ISBN 978-4-00-500916-9　　Printed in Japan

岩波ジュニア新書の発足に際して

きみたち若い世代は人生の出発点に立っています。きみたちの未来は大きな可能性に満ち、陽春の日のようにひかり輝いています。勉学に体力づくりに、明るくはつらつとした日々を送っていることでしょう。

しかしながら、現代の社会は、また、さまざまな矛盾をはらんでいます。営々として築かれた人類の歴史のなかで、幾千億の先達《せんだつ》たちの英知と努力によって、未知が究明され、人類の進歩がもたらされ、大きく文化として蓄積されてきました。にもかかわらず現代は、核戦争による人類絶滅の危機、貧富の差をはじめとするさまざまな人間的不平等、社会と科学の発展が一方においてもたらした環境の破壊、エネルギーや食糧問題の不安等々、来るべき二十一世紀を前にして、解決を迫られているたくさんの大きな課題がひしめいています。現実の世界はきわめて厳しく、人類の平和と発展のためには、きみたちの新しい英知と真摯《しんし》な努力が切実に必要とされています。

きみたちの前途には、こうした人類の明日の運命が託されています。ですから、たとえば現在の学校で生じているささいな「学力」の差、あるいは家庭環境などによる条件の違いにとらわれて、自分の将来を見限ったりはしないでほしいと思います。個々人の能力とか才能は、いつどこで開花するか計り知れないものがありますし、努力と鍛練の積み重ねの上にこそ切り開かれるものですから、簡単に可能性を放棄したり、容易に「現実」と妥協したりすることのないようにと願っています。

わたしたちは、これから人生を歩むきみたちが、生きることのほんとうの意味を問い、大きく明日をひらくことを心から期待して、ここに新たに岩波ジュニア新書を創刊します。現実に立ち向かうために必要とする知性、豊かな感性と想像力を、きみたちが自らのなかに育てるのに役立ててもらえるよう、すぐれた執筆者による適切な話題を、豊富な写真や挿絵とともに書き下ろしで提供します。若い世代の良き話し相手として、このシリーズを注目してください。わたしたちもまた、きみたちの明日に刮目《かつもく》しています。（一九七九年六月）

912 新・大学でなにを学ぶか　上田紀行 編著

大学では何をどのように学ぶのか？　池上彰氏をはじめリベラルアーツ教育に携わる気鋭の大学教員たちからのメッセージ。

913 統計学をめぐる散歩道 ―ツキは続く？　続かない？　石黒真木夫

天気予報や選挙の当選確率、くじの当たり外れやじゃんけんの勝敗などから、統計のしくみをのぞいてみよう。

914 読解力を身につける　村上慎一

評論文、実用的な文章、資料やグラフ、文学的な文章の読み方を解説。名著『なぜ国語を学ぶのか』の著者による国語入門。

915 きみのまちに未来はあるか？ ―「根っこ」から地域をつくる　除本理史　佐無田光

地域の宝物＝「根っこ」と自覚した住民によるまちづくりが活発化している。各地の事例から、未来へ続く地域の在り方を提案。

916 博士の愛したジミな昆虫　金子修治　鈴木紀之 編著　安田弘法

SFみたいなびっくり生態、生物たちの複雑怪奇なからみ合い。その謎を解いていくワクワクを、昆虫博士たちが熱く語る！

917 有権者って誰？　藪野祐三

あなたはどのタイプの有権者ですか？　社会に参加するツールとしての選挙のしくみや意義をわかりやすく解説します。

918 議会制民主主義の活かし方
―未来を選ぶために
糠塚康江

私達は忘れている。未来は選べるということを。必要なのは議会制民主主義を理解し、使いこなす力を持つこと、と著者は説く。

919 繊細すぎてしんどいあなたへ
HSP相談室
串崎真志

繊細すぎる性格を長所としていかに活かすかをアドバイス。「繊細でよかった!」読後にそう思えてくる一冊。

920 10代から考える生き方選び
竹信三恵子

10代にとって最適な人生の選択とは? 各選択肢が孕むメリットやリスクを俯瞰しながら、生き延びる方法をアドバイスする。

921 一人で思う、二人で語る、みんなで考える
―実践! ロジコミ・メソッド
追手門学院大学成熟社会研究所 編

課題解決に役立つアクティブラーニングの道具箱。多様な意見の中から結論を導くロジカルコミュニケーションの方法を解説。

922 できちゃいました! フツーの学校
富士晴英とゆかいな仲間たち

生徒の自己肯定感を高め、主体的に学ぶ場を作ろう。校長からのメッセージは「失敗OK!」「さあ、やってみよう」

923 こころと身体の心理学
山口真美

金縛り、夢、絶対音感――。様々な事例をもとに第一線の科学者が自身の病とも向き合って解説した、今を生きるための身体論。

924 過労死しない働き方
―働くリアルを考える
川人 博
過労死や過労自殺に追い込まれる若い人を、どうしたら救えるのか。よりよい働き方・職場のあり方を実例をもとに提案する。

925 障害者とともに働く
藤井克徳
星川安之
「障害のある人の労働」をテーマに様々な企業の事例を紹介。誰もが安心して働ける社会のあり方を考えます。

926 人は見た目!と言うけれど
―私の顔で、自分らしく
外川浩子
見た目が気になる、すべての人へ!「見た目問題」当事者たちの体験などさまざまな視点から、見た目と生き方を問いなおす。

927 地域学をはじめよう
山下祐介
地域固有の歴史や文化等を知ることで、自分・社会・未来が見えてくる。時間と空間を往来しながら、地域学の魅力を伝える。

928 自分を励ます英語名言101
小池直己
佐藤誠司
自分に勇気を与え、励ましてくれるさまざまな先人たちの名句名言に触れながら、自然に英文法の知識が身につく英語学習入門。

929 女の子はどう生きるか
―教えて、上野先生!
上野千鶴子
女の子たちが日常的に抱く疑問やモヤモヤに、上野先生が全力で答えます。自分らしい選択をする力を身につけるための1冊。

930 平安男子の元気な！生活　川村裕子

意外とハードでアクティブだった⁉　恋に出世にライバル対決、元祖ビジネスパーソンたちのがんばりを、どうぞご覧あれ☆

931 SDGs時代の国際協力 ―アジアで共に学校をつくる　西村幹子 小野道子 井上儀子

バングラデシュの子どもたちの「学校に行きたい！」を支えて――NGOの取組みから未来をつくるパートナーシップを考える。

932 コミュニケーション力を高める プレゼン・発表術　上坂博亨 大谷孝行 里見安那

パワポスライドの効果的な作り方やスピーチの基本を解説。入試や就活でも役立つ「自己表現」のスキルを身につけよう。

933 確かめてナットク！ 物理の法則　ジョー・ヘルマンス 村岡克紀訳

ロウソクとLED、どっちが高効率？　物理学は日常的な疑問にも答えます。公式だけじゃない、物理学の醍醐味を味わおう。

934 深掘り！中学数学 ―教科書に書かれていない数学の話　坂間千秋

三角形の内角の和はなぜ180°になる？　なぜ割り算はゼロで割ってはいけない？　なぜマイナス×マイナスはプラスになる？…

935 はじめての哲学　藤田正勝

なぜ生きるのか？　自分とは何か？　日常の一歩先にある根源的な問いを、やさしい言葉で解きほぐします。ようこそ、哲学へ。